PRÁTICA DOCENTE

A ABORDAGEM DE
REGGIO EMILIA E
O TRABALHO COM
PROJETOS, PORTFÓLIOS
E REDES FORMATIVAS

MARIA ALICE PROENÇA

PRÁTICA DOCENTE

A ABORDAGEM DE
REGGIO EMILIA E
O TRABALHO COM
PROJETOS, PORTFÓLIOS
E REDES FORMATIVAS

10ª impressão

PANDA
educação

© Maria Alice Proença

Direção editorial
Marcelo Duarte
Patth Pachas
Tatiana Fulas

Coordenação editorial
Vanessa Sayuri Sawada

Assistentes editoriais
Henrique Torres
Laís Cerullo
Guilherme Vasconcelos

Conselho editorial
Josca Ailine Baroukh
Marcello Araujo
Shirley Souza

Projeto gráfico
Marcello Araujo

Ilustração de capa
Veridiana Scarpelli

Diagramação
Vanessa Sayuri Sawada

Preparação
Telma Baeza Gonçalves Dias

Revisão
Beatriz de Freitas Moreira

Impressão
Loyola

CIP – BRASIL. CATALOGAÇÃO NA PUBLICAÇÃO
SINDICATO NACIONAL DOS EDITORES DE LIVROS, RJ

Proença, Maria Alice
Prática docente: a abordagem de Reggio Emilia e o trabalho com projetos, portfólios e redes formativas / Maria Alice Proença. – 1. ed. – São Paulo: Panda Educação, 2018. 160 pp.

ISBN 978-85-7888-720-9

1. Educação Infantil. 2. Professores de Educação Infantil – Formação. 3. Prática de ensino. I. Título.
Bibliotecária: Meri Gleice R. de Souza – CRB-7/6439

| 18-53260 | CDD: 370.71 |
| | CDU: 37.026 |

2023
Todos os direitos reservados à Panda Educação.
Um selo da Editora Original Ltda.
Rua Henrique Schaumann, 286, cj. 41
05413-010 – São Paulo – SP
Tel./Fax: (11) 3088-8444
edoriginal@pandabooks.com.br
www.pandabooks.com.br
Visite nosso Facebook, Instagram e Twitter.

Nenhuma parte desta publicação poderá ser reproduzida ou compartilhada por qualquer meio ou forma sem a prévia autorização da Editora Original Ltda. A violação dos direitos autorais é crime estabelecido na Lei nº 9.610/98 e punido pelo artigo 184 do Código Penal.

Sumário

7 Introdução

13 Saberes e fazeres pedagógicos
13 Formar, transformar, recriar
15 A formação do professor e Piaget
25 Outros olhares sobre a formação de professores
32 E agora? Qual a ideia de formação a que chegamos?

43 Instrumentos metodológicos
45 Planejamento: organização do cotidiano
49 Observação
51 Registro
53 Reflexão
53 Avaliação

55 O trabalho com projetos
60 Como cheguei ao trabalho com projetos
63 O trabalho com projetos: de sua origem a Malaguzzi
80 Como desenvolver os projetos

86 Registro em portfólios
86 Mas... o que é um portfólio?
90 A montagem do portfólio
104 O ponto de observação

110 Redes formativas: a cultura de grupo
113 O conceito de rede/mapa conceitual
121 Redes/mapa conceitual como metodologia
129 Redes individuais e redes coletivas

140 Projetos, portfólios e redes na formação dos professores
141 O que move o sujeito-educador?
143 Reflexões finais

151 Referências bibliográficas

INTRODUÇÃO

> [...] *vivo o momento mágico do ato de criar, de inovar, que somente a pesquisa pode proporcionar... esse processo de maravilhar-se!*
>
> Ivani Fazenda

Este livro tem como foco relatar um processo de formação de professores de Educação Infantil e séries iniciais do Fundamental I, com os quais trabalhei, tanto como coordenadora e diretora pedagógica quanto como professora de cursos de pós-graduação e assessoria pedagógica nas redes pública e particular de ensino nos últimos 25 anos.

A contemporaneidade trouxe diversos desafios para os percursos formativos individuais e coletivos de professores e coordenadores pedagógicos, público-alvo do livro, em especial a rapidez com que as informações circulam no dia a dia das instituições e a falta de tempo para elaborá-las; o excesso de modismos a que são expostos; a rotatividade das equipes de trabalho nas escolas; a construção de novos valores em relação à diversidade, ao multiculturalismo e ao trabalho coletivo.

Diante desse contexto, o livro narra um percurso desenvolvido na formação de professores, destacando:

- o papel do grupo na construção do conhecimento, a cultura do coletivo;
- os registros reflexivos como documentação de aprendizagens, fonte de planejamento e material de avaliação;
- a reflexão como instrumento de integração entre teoria e prática a fim de tornar a práxis cada vez mais qualificada;
- e os projetos interdisciplinares como uma metodologia de trabalho potente para a efetivação de aprendizagens significativas no contexto de formação de educadores nas instituições, tanto nas escolas quanto nas faculdades.

Em busca de caminhos para que as aprendizagens tivessem sentido para todos os envolvidos no processo de construção e ressignificação de conhecimentos – crianças, professores, gestores, famílias e comunidade, tanto na Educação Infantil quanto nas séries iniciais do Fundamental I –, fiz a opção metodológica pela abordagem italiana para a educação, baseada na filosofia de Loris Malaguzzi (1920-1994). Nessa abordagem, projetos, registros reflexivos como a documentação pedagógica e relações humanas complementam-se na construção de percursos formativos da cultura da infância. Esta abordagem aponta um olhar diferenciado para uma imagem de criança, que é vista como um sujeito potente e forte, rica em possibilidades, protagonista de suas investigações para conhecer e apropriar-se da cultura à qual pertence. É uma cultura DA infância, algo que não é feito PARA a criança por considerá-la incapaz de agir, mas que torna visíveis suas investigações e seus conhecimentos construídos.

A formação de professores segundo essa concepção é vista como uma busca coletiva e permanente de possibilidades, escolhas, pesquisas e desafios, a fim de enriquecer o ambiente escolar. Desta forma, experiências podem acontecer de maneira cada vez mais enriquecedoras, tanto para as crianças e suas famílias quanto para os adultos, integrando o espaço da instituição ao seu entorno, formando uma comunidade educativa e uma cultura de grupo.

A abordagem metodológica de projetos proposta por Malaguzzi requer dos educadores práticas instrumentais que caminham para uma reflexão intencional, além de flexibilidade para trocar experiências, observações e relatos, que viabilizam a tomada de consciência de uma nova visão de criança na contemporaneidade: um sujeito potente, protagonista de suas buscas, pesquisador de seus interesses, produtor de cultura e coautor do trabalho realizado no dia a dia da escola.

Esta obra discute a potencialidade da articulação entre os fazeres e saberes essenciais aos professores/educadores de Educação Infantil e séries iniciais do Fundamental I para auxiliar a (trans)formação da prática docente de acordo com as demandas da sociedade atual.

Busca configurar um campo de ação a partir de repertórios coletivos e das matrizes individuais de atuação dos professores/educadores, capazes de produzir reflexões e mudanças nas práticas pedagógicas, tendo como base projetos, registros e questionamentos diários para reelaborar a forma de agir cotidiana. Entre o ideal e o real, quais são as possibilidades formativas?

Este livro está organizado em seis capítulos, que se mesclam, são interdependentes, e sintetizam-se em saberes e fazeres essenciais à construção de um "currículo em ação" para a (trans)formação da prática pedagógica de professores/educadores.

O primeiro capítulo está centrado na definição da concepção de formação de professores, referendada, em especial, na filosofia construtivista de Jean Piaget (1896--1980), que entende as estruturas internas do sujeito como capazes de ressignificar informações e experiências vividas com sentido, aliadas aos conflitos cognitivos provocados pelo grupo, desestabilizando hipóteses previamente construídas. O pensamento piagetiano, as ideias de Wallon, Nóvoa, García, Sacristán, Morin e Malaguzzi, bem como os conceitos de diálogo, criticidade e trabalho em equipe de Paulo Freire, complementam o referencial teórico.

O segundo capítulo define, caracteriza e exemplifica o uso de instrumentos metodológicos – observação, registro, planejamento, avaliação e reflexão – como as cinco ferramentas essenciais ao trabalho do professor/educador/coordenador compromissado com aprendizagens significativas pessoais e das crianças, de acordo com o olhar de Paulo Freire (1921-1997) e Madalena Freire.

O terceiro capítulo apresenta uma definição conceitual da metodologia utilizada na formação de professores: detalha o trabalho com projetos, trazendo o processo de construção do conceito de postura metodológica e autoria do professor, após uma revisão do conceito de projeto de trabalho ao longo da história da didática.

O quarto capítulo discorre sobre os portfólios, mostrando o registro de alguns projetos que foram realizados com as crianças e de outros direcionados à formação de professores.

O quinto capítulo aprofunda o trabalho de formação com projetos, relata a pesquisa-ação colaborativa desenvolvida, os registros e as redes interativas, considerando-os como espaços reflexivos de socialização da autoria do professor e de formação de grupo.

O último capítulo sistematiza a metodologia utilizada como um dos possíveis caminhos de formação de educadores de Educação Infantil e séries iniciais do Ensino Fundamental I na consolidação de uma cultura de grupo. Além disso, traça características de um "currículo em ação", que contribua para uma educação de melhor qualidade para as crianças brasileiras. Afinal, nada valerá a pena se não se transformar em ações eficazes para uma Pedagogia da Infância capaz de promover aprendizagens com sentido.

Um processo de formação, seja do professor/educador, seja do coordenador/diretor, ou de um artista-criador, é sempre um desafio: como seguir a circularidade de um labirinto e enfrentar os diferentes aspectos relacionados ao tempo? O tempo de cada um, o tempo do grupo, o tempo do relógio, da elaboração e apropriação de conhecimentos.

O uso de algumas imagens ao longo desse processo formativo criou um diálogo com as palavras em busca da integração das linguagens expressivas, da mesma forma com que trabalho com professores e alunos dos cursos de pós-graduação. As linguagens, escrita e visual, estabelecem conexões e uma relação de interdependência, expressando múltiplos significados aos sujeitos-aprendizes, que buscam os SENTIDOS da formação docente e dos projetos de vida pessoais e coletivos nos quais se reconheçam e se identificam: "O que me move? O que move o professor em (trans)formação? Qual o sentido da docência para a Educação Infantil?".

Vamos descobrir?

Este livro narra um percurso vivido por múltiplas vozes – professores, coordenadores, diretores e formadores em geral – que se envolveram no fortalecimento de uma cultura de grupo. A construção de um repertório em comum, de caminhos compartilhados no dia a dia e decisões coletivas, apontam para a possibilidade de mudanças na postura do grupo quando todos se sentem pertencentes ao processo de transformação da/na escola: todos os sujeitos são considerados agentes de mudanças! A possibilidade de atuar de um jeito diferente, inovador, requer uma cultura de coletivo, uma coprodução com objetivos em comum para potencializar aprendizagens significativas de adultos e crianças.

SABERES E FAZERES PEDAGÓGICOS

> *O meu trabalho é uma sucessão de notas e de guias. A invenção de uma linguagem vai, justamente, com a invenção de uma cidade. Cada uma das minhas intervenções é outro fragmento de história que eu estou a inventar, da cidade de mapeamento que eu sou. Eu procuro com obstinação o momento em que o que eu chamo de experiência de vida coincide com a consciência da experiência.*
>
> Francis Alÿs

Formar, transformar, recriar

Vamos começar a pensar sobre o conceito de formação refletindo sobre o significado da palavra "forma".

De acordo com o *Grande dicionário etimológico prosódico da Língua Portuguesa*, de Silveira Bueno (1965), o termo "forma", pronunciado com "o" aberto, refere-se a "notas individualizantes que distinguem um corpo de outro, um objeto de outro, à disposição das partes de um todo de que surge a aparência externa".

Já o termo "forma", pronunciado com "o" fechado, faz referência a "molde, modelo pelo qual se fazem outros", diferenciando-se, originalmente, com a grafia do acento circunflexo: forma e fôrma.

Ao pesquisar a origem dessas palavras, constatei que a diversidade de significados poderia ser associada à diferença de olhares em relação à formação de professores.

Neste livro abordo a formação de professores como espaços de criação, de singularidades, de autoria de sujeitos que optaram pela docência como projeto de vida, ao mesmo tempo em que se fortalece uma cultura comum a um grupo com referências quanto à concepção de criança, escola, mundo.

O verbo "formar" (do latim *formare*) significa:

> Criar, modelar, constituir, reunir os elementos, as partes de um todo, dando-lhes a aparência, o exterior; imaginar, criar o seu estilo, a sua maneira de expressar; dar a alguém os conhecimentos necessários para o desempenho de uma carreira, um ofício. [...] formar-se é constituir-se, completar-se nos estudos, nas técnicas necessárias a seu ofício, educar-se, criar-se. (BUENO, 1965, p. 1.443)

Formar-se é buscar a própria identidade, enquanto sujeito e membro de um grupo, fortalecendo o sentimento de pertencimento àquela realidade institucional.

Entendo, então, a diferença entre "forma" e "fôrma" da seguinte maneira:

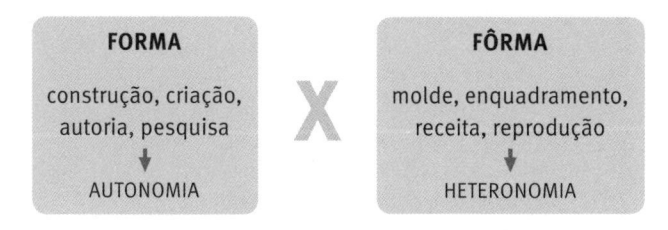

FORMA		**FÔRMA**
construção, criação, autoria, pesquisa ↓ AUTONOMIA	X	molde, enquadramento, receita, reprodução ↓ HETERONOMIA

Responsabilidade individual: AUTOFORMAÇÃO

Ampliando esse pensar, a formação do professor envolve:

- (Trans)formação
- Ressignificação
- "Reelaboração"
- Refletir sobre a própria ação
- "Recriação", enquanto movimento contínuo de busca e de constituição de uma identidade pessoal e profissional.

A formação do professor e Piaget

Alguns conceitos-chave da filosofia construtivista piagetiana são usados como referenciais teóricos, que movem a formação dos educadores: ação, investigação, autonomia e relação interativa são descritos ao longo das obras de Jean Piaget, apontando conexões possíveis entre o construtivismo e a pedagogia.

A multiplicidade e a complexidade dos atores e fatores envolvidos no processo possibilitam estabelecer relações entre a singularidade do sujeito e a pluralidade do grupo.

O QUE É UM GRUPO?

> Grupo é... grupo.
> A cada encontro: imprevisível.
> A cada interrupção da rotina: algo inusitado.
> A cada elemento novo: surpresas.
> A cada elemento já parecidamente conhecido: aspectos desconhecidos.
> A cada encontro: um novo parto, novo compromisso fazendo história.
> A cada conflito: rompimento do estabelecido para a construção da mudança.
> A cada emoção: faceta insuspeitável.
> A cada encontro: descobrimentos de terras não desbravadas...
> Grupo é grupo! (FREIRE, 2002, p. 30)
>
> A concepção que adoto para grupo baseia-se nas ideias de Pichon-Rivière: um grupo tem a intenção de construir, fortalecer e valorizar o sentimento e as atitudes de cooperação, solidariedade, parceria, coletividade, convívio respeitoso e prazeroso.
>
> Quando um conjunto de pessoas movidas por necessidades semelhantes se reúnem em torno de uma tarefa específica. No cumprimento de desenvolvimento das tarefas, deixam de ser um amontoado de indivíduos, para cada um assumir-se enquanto participante de um grupo com um objetivo mútuo. (1994, p. 34) ∎

A formação docente é um percurso formativo que encadeia um elo a outro de um diálogo estabelecido entre as partes de um todo, de tal forma que se mesclam em seus percursos e recompõem a sintonia do conjunto, como em uma orquestra. Vamos olhar de perto esses elos.

Ação

O conceito de ação, descrito por Piaget, é associado aos fazeres do educador que, a partir da própria prática pedagógica, construída com experiências anteriormente vividas, tem a sua matriz de atuação problematizada. O confronto entre o "fazer de agora" e suas experiências prévias pode transformar-se em um material de reflexão eficaz pelo significado que contempla: a sua própria história enquanto sujeito-educador.

Para o biólogo, psicólogo e filósofo suíço, a inteligência nasce da ação: desde os primeiros atos motores e aparentemente desconexos de um bebê até as abstrações reflexivas, que podem ser extremamente complexas na vida adulta, há um longo caminho a ser percorrido na construção das estruturas de pensamento e de atuação do sujeito-aprendiz.

Da mesma forma que uma criança estranha algo desconhecido e se espanta com o inusitado, o educador pode ter dois tipos de reação diante do novo: curiosidade e desejo de conhecer, ou afastamento e manifestação de resistência por "não saber".

Ao sentir-se desafiado a se apropriar do que desconhece – ou para que possa agir de outro modo – "experimenta" a potencialidade do objeto em questão, explora-o em todas as suas variáveis e usa suas estruturas internas previamente construídas, além das informações de que dispõe para atribuir-lhe algum sentido.

Em contrapartida, a atitude de resistência também pode se manifestar em função da falta de respostas para lidar com o objeto em foco e do incômodo de se expor diante do outro.

Quando isso ocorre em um processo de formação pode gerar um distanciamento da proposta realizada pelo formador.

Quanto mais as ações de formação envolverem o trabalho do professor na escola, mais condições ele terá de qualificar a sua prática pedagógica e de planejar uma intervenção com qualidade, passando do fazer por fazer para o fazer intencional, a que Paulo Freire chamava de "práxis".

> **QUEM É O FORMADOR?**
>
> Ao longo do livro, chamo de "formador" todo sujeito envolvido em situações de ensino-aprendizagem, nas quais ele é o principal responsável, tais como: o coordenador pedagógico, o professor universitário, o professor e seu grupo, independentemente da faixa etária de atuação. ■

Investigação

A investigação é outro conceito central em Piaget. À medida que o sujeito-aprendiz age sobre o mundo ao seu redor, vivencia a possibilidade de se transformar em pesquisador de seus fazeres. A familiaridade com determinados aspectos de sua prática propicia a oportunidade de transformá-la em matéria-prima de sua própria pesquisa.

Como todo pesquisador comprometido com o rigor científico de sua investigação, o uso de instrumentos metodológicos é fundamental para a qualidade do trabalho desenvolvido: observação, planejamento, registro, reflexão e avaliação são ferramentas essenciais ao processo de construção de novos conhecimentos.

Nesse contexto, a pesquisa é um poderoso aliado do professor em constante processo de formação, pois oferece instrumentos para buscar respostas às suas curiosidades e às faltas detectadas, preparando-o para lidar com situações imprevisíveis e com as novas informações que circulam a cada dia.

Na sociedade do conhecimento e da incerteza, que caracteriza a pós-modernidade, a pesquisa e a investigação da própria prática, quando aliadas à teoria, apontam novas possibilidades para a qualificação da docência e revelam o compromisso de quem se profissionaliza com competência, responsabilidade e envolvimento.

Em um processo de formação, a ação investigativa do formador se concretiza na elaboração de perguntas desafiadoras e na colocação de situações-problema que promovam novas aprendizagens, por meio da ressignificação das matrizes de atuação daqueles em processo de formação e do próprio formador.

Mas... quais são as boas perguntas?

São as que tiram o sujeito de sua zona de conforto, promovem a apropriação de novas alternativas para pensar determinado episódio e o confronto de diferentes pontos de vista. São perguntas que geram outras perguntas, outras indagações sob óticas diversificadas, outras possibilidades de apropriação do objeto. A formação do professor é um processo interativo baseado em sucessivos movimentos de idas e vindas ao objeto pesquisado, o que potencializa um novo olhar do sujeito, que busca um sentido para suas matrizes de atuação e a ampliação de seu repertório.

Autonomia

O conceito de autonomia na visão piagetiana baseia-se na capacidade do sujeito de se autogovernar e é uma das metas da formação do professor. A autonomia é decorrente de uma construção, que evolui da heteronomia (governo de outrem) ao gerenciamento dos próprios atos e decisões com consciência e respeito ao bem-estar coletivo. São escolhas intencionais, responsáveis, pensadas e repensadas, que possibilitam aprendizagens significativas para todos os membros do grupo, com ética e respeito às relações humanas.

No contexto da formação do professor, o conceito de autonomia deve ser discutido à luz da visão de (des)centralização da proposta de coordenação e de gestão de grupo. À medida que se considera a distribuição de papéis e funções dos integrantes de um grupo, como uma meta a ser alcançada, há uma coordenação de responsabilidades e diálogos de diferentes pontos de vista em prol de um objetivo comum, uma integração de sujeitos, um trabalho de coprodução de novos conhecimentos e não uma subordinação de todos a uma figura central.

A autonomia deve ser considerada, também, em relação às consequências do processo, pois na mesma proporção em que todos estão envolvidos no processo de aprendizagem, a responsabilidade, os "ônus" e os "bônus" de todo o percurso formativo também são compartilhados, tornando-se uma construção compartilhada.

Relação interativa

Outro conceito fundamental em Piaget a ser considerado em relação à formação do educador é o de interação. Para ele, o processo de aprendizagem é decorrente da interação desenvolvida na relação entre o sujeito e o objeto, mediada por outros sujeitos e pela cultura.

Piaget enfatizou o processo de aprendizagem como uma construção decorrente da adaptação do sujeito ao meio a que ele pertence, da forma como o sujeito-aprendiz capta o mundo que o cerca e das relações que estabelece entre sujeitos e objetos na superação de conflitos e desafios que surgem no dia a dia.

O conflito cognitivo é um caminho essencial à aprendizagem: o sujeito só percebe suas faltas e interesses no confronto com os demais, e na ausência de respostas diante de situações inusitadas, além de se certificar de suas crenças e valores.

Para Piaget, educar é "provocar" a ação/atividade do sujeito, ou seja, oferecer o estímulo essencial para desafiar o sujeito em busca do conhecimento, da investigação, da pesquisa de novas possibilidades de atuação na qualificação docente. O questionar é um processo contínuo: "O que me move? Qual o sentido da docência na primeira infância?".

Aprender é "re-significar" os objetos e as relações humanas, atribuindo-lhes sentido, posicionando-se diante do mundo, construindo e reconstruindo fazeres-saberes pedagógicos, constituindo-se como professor/educador, formando-se e buscando espaços de identidade individual e coletiva.

Nessa abordagem, compreender é "re-significar", inventar e reinventar o objeto de conhecimento – tanto do adulto quanto das crianças –, estabelecendo conexões e criando uma teia de relações que vão "recriar" as informações, as vivências e as experiências iniciais.

No discurso de abertura da Organização das Nações Unidas (ONU), relatado no livro *Para onde vai a educação?*, Piaget afirmou que:

> [...] o principal objetivo da educação é criar homens capazes de fazer coisas novas, não simplesmente de repetir o que outras gerações fizeram: homens criativos, inventivos e descobridores. (1977, p. 53)

Dessa forma, enfatiza o papel da "ressignificação" do conhecimento historicamente acumulado na transformação da sociedade. Para o filósofo, a construção, a apropriação e a validação do conhecimento se dão por meio de um longo processo, composto por sucessivas idas e vindas a questões essenciais ao sujeito-aprendiz, na tentativa de significar os objetos.

O que trago em mim e como interajo com a realidade

Complementando o pensamento piagetiano para definir "educação", cito aqui o escritor Daniel Munduruku, ao refletir sobre suas raízes culturais:

> Educação para nós [povo indígena] se dava no silêncio. Nossos pais nos ensinavam a sonhar com

aquilo que desejávamos. Compreendi, então, que educar é fazer sonhar. Aprendi a ser índio, pois aprendi a sonhar ("viajar", na linguagem do não índio). Ia para outras paragens. Passeava nelas, aprendia com elas. Percebi que, na sociedade indígena, educar é arrancar de dentro para fora, fazer brotar os sonhos e, às vezes, rir do mistério da vida. (1996, p. 38)

Piaget e Munduruku voltam seus olhares para as suas origens, europeia e indígena, respectivamente, atribuindo um sentido singular às questões internas e culturais do sujeito-aprendiz, educador ou educando.

Somente uma experiência de fato significativa e de acordo com inquietações pessoais pode se configurar como um incômodo capaz de proporcionar mudanças nos *habitus* do educador.

Para provocar mudanças, a formação do docente deve basear-se em um processo criativo, flexível, gradativo e singular, que dê voz a seus atores e, em especial, desenvolva o sentimento de pertencimento e cultura de grupo, pois só há validade de saberes e fazeres a partir de similaridades e confrontos com as ideias alheias, que criem um "código" de referência aos que fazem parte de um grupo.

> **HABITUS**
>
> Pierre Bordieu, sociólogo francês, discute o conceito de *habitus* como uma matriz de atuação do indivíduo que, na maioria das situações cotidianas, age sem refletir sobre seus atos, apenas reproduzindo estruturas anteriormente bem-sucedidas, ou com recursos suficientes para "dar conta" de uma situação. ■

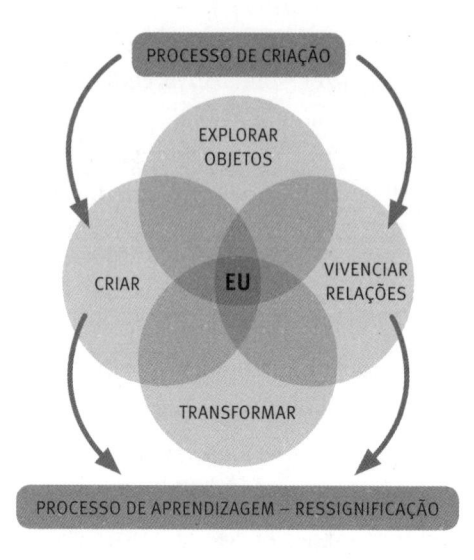

```
        ┌─────────────────────┐
        │ PROCESSO DE CRIAÇÃO │
        └─────────────────────┘
                EXPLORAR
                OBJETOS

                              VIVENCIAR
        CRIAR      EU         RELAÇÕES

               TRANSFORMAR

┌──────────────────────────────────────────────┐
│ PROCESSO DE APRENDIZAGEM – RESSIGNIFICAÇÃO   │
└──────────────────────────────────────────────┘
```

A aprendizagem é considerada por Piaget como um espaço de busca, de vivências, confrontos, verbalizações, tomada de consciência dos fazeres e saberes pessoais na construção de experiências que deixam marcas. Em especial, experiências que ampliam o repertório de atuação do sujeito-educador, transformando *habitus* e matrizes em maneiras criativas e diferenciadas de agir e de ser professor, autor de sua história.

O professor em constante processo de formação deveria manter a capacidade infantil de se encantar diante de eventuais descobertas e estranhar a ausência de respostas momentâneas para determinadas situações, convertendo-as em objeto de pesquisa e busca de novos conhecimentos.

O ponto de partida e de chegada da proposta formativa, que objetiva a qualificação docente, é o professor/educador, elemento central do processo: a forma como atua, interage com os alunos e com os demais parceiros, como produz conhecimentos no exercício da docência, no ambiente de construção de conhecimentos, um sujeito invetigador.

A formação em serviço, efetivada no *lócus* de atuação do sujeito-educador, a escola, pode se transformar em um espaço central de reflexão e melhoria qualitativa do trabalho realizado por um grupo que se percebe como agente de mudanças significativas no contexto institucional, a partir de trocas interativas de fazeres e saberes da prática pedagógica cotidiana.

Outros olhares sobre a formação de professores

O pensamento de Piaget e sua proposta de formação de professores têm sido a base do exposto neste livro. Além dele, outros pensadores dialogam com essas ideias, ampliando-as, propondo caminhos, referenciando teoricamente esse processo contínuo.

Desenvolvimento profissional e pessoal

António Nóvoa (1995, 2002), especialista português em formação de professores, afirma que há uma relação entre o desenvolvimento profissional e pessoal do professor. A escola não pode mudar sem o empenho dos professores que, por sua vez, não podem mudar sem a transformação da escola como um todo: o desenvolvimento profissional dos docentes tem de estar articulado com seus projetos pessoais, pois fazem parte do mesmo contexto.

Nóvoa introduz o conceito de "pertença" ao contexto formativo, com o intuito de fortalecer a relação de grupo de docentes, no qual os professores possam se sentir parte integrante do processo, identificar-se com uma cultura em comum, que seja capaz de referendar a sua atuação e possibilitar ajuda mútua.

Às ideias de Nóvoa aliam-se as do formador espanhol Carlos Marcelo García (1999) sobre a relação existente entre o desenvolvimento pessoal e profissional dos professores no contexto da escola.

Para o autor espanhol, todos aqueles que fazem parte do cenário institucional têm responsabilidade na sua melhoria e estão implicados no processo de mudanças.

O desenvolvimento profissional baseia-se na formação contextualizada, organizada e orientada para mudanças pessoais, profissionais e institucionais, integrando a escola, o professor e a pessoa que exerce a função docente. Essa visão implica melhores condições de trabalho, valorização da carreira docente e do status profissional.

García e Nóvoa partilham do mesmo pressuposto de que a formação é um processo contínuo para a mudança e para a qualificação da escola como um todo, que busca melhorar a prática profissional daqueles que fazem parte da instituição e envolve qualquer atividade, individual e coletiva, que desenvolva o professor, seu pensamento e suas ações pedagógicas.

De acordo com essa visão, a formação requer conhecimentos práticos e teóricos dos formadores e dos professores, o que também contribui para um novo olhar para as reuniões pedagógicas e demais espaços de formação de professores para a colaboração do grupo em tarefas escolares.

E de que forma deve se dar esse desenvolvimento profissional e pessoal?

Segundo Sacristán (1999, 2000, 2002, 2007), que também compartilha o pensamento de Nóvoa e García, o modelo de desenvolvimento deve ser evolutivo e continuado, sempre referendado no projeto pedagógico de cada escola que, do seu ponto de vista, é a base para a mudança da profissionalização e do aperfeiçoamento dos professores. É no convívio diário, diante de situações reais problematizadas e de trocas, que se configura o espaço de transformações dos sujeitos e da instituição como um todo.

Uma visão sistêmica da formação

Coll (1996, 1998) defende que o processo formativo envolve fatos, ações, opiniões, crenças e conhecimentos que, em maior ou menor intensidade, acabam se associando à profissão. Para ele, "ser professor" está pautado não só na formação acadêmica do sujeito, mas também na história pessoal, na trajetória profissional e na experiência docente, representando uma visão sistêmica de interdependência dos fatores que influenciam o processo de formação de docentes voltado à construção da identidade dos professores.

> Falar de educação representa referir-se a um mundo de significados variados: obtenção de qualidades ou estados subjetivos nas pessoas, processos que conduzem a eles, aspirações sociais compartilhadas, atividades familiares, políticas para educação, atividades profissionais e institucionais. (SACRISTÁN, 1999, p. 18)

Edgar Morin (2000, 2002, 2004) agrega um olhar interdisciplinar à formação de professores, além de atribuir importância à relação que o sujeito estabelece com o seu grupo de pertencimento, numa concepção sistêmica, que vê o professor como um articulador da cidadania local e mundial. Para o filósofo francês, o conhecimento vai além da informação, que precisa ser analisada, refletida e vivenciada com sabedoria. O professor é visto como um articulador de significados, um mediador ativo da tarefa permanente de reinterpretar as aquisições históricas da humanidade, pois a informação requer questionamento e contextualização social, histórica e cultural para ser apropriada, para ampliar a visão de mundo pessoal e transformar-se em novos conhecimentos (sabedoria).

Na busca pelo conhecimento, Morin mostra que a separação nas diversas áreas do saber impede que o sujeito estabeleça inter-relações entre diferentes informações e vários temas, propondo a interdisciplinaridade como um paradigma a ser vivido para a construção de novos olhares para um mundo marcado pela complexidade, por uma visão sistêmica de interdependência em diferentes aspectos, sujeitos e áreas do conhecimento.

A interatividade e a (trans)formação

A formação docente, segundo Wallon (1989), é estabelecida por relações interativas que, por sua vez, constituem o sujeito, pois para o autor "o ser humano é geneticamente social": o "outro" tem um papel fundamental na construção do conhecimento do sujeito, podendo ser considerado um "sócio íntimo" que, ao estabelecer um diálogo interno, respalda, autoriza e valida o pensar individual, questiona-o, confronta-o com ideias divergentes das que dispõe. Portanto, quanto mais "outros" o indivíduo tiver, haverá mais possibilidades para estruturar o seu psiquismo e refletir sobre determinadas questões, já que necessita de "outros" pares para se constituir.

A multiplicidade de contatos favorece a possibilidade de o "eu" fazer esses dois movimentos estruturantes pesquisados por Wallon: o de projetar-se no outro e o de introjetar o outro em si, estabelecendo uma relação dialética de aprendizagem e ampliando o referencial pessoal.

A relação eu-outro (professor-aluno, professor-professor, professor-coordenador, professor-diretor, professor-família) é o conceito central do pensamento walloniano, uma vez que o ser humano não sobrevive sem o outro.

O duplo movimento de projeção e introjeção aproxima o sujeito de outros teóricos, com os quais se familiariza e compartilha uma intimidade de ideias e pressupostos teóricos, a partir dos quais elabora, fundamenta, amplia e confronta as suas referências teóricas. No processo de ensino e aprendizagem é fundamental que o sujeito se identifique com o outro para encontrar respaldo em sua concepção de mundo e em seus pensamentos, construindo matrizes teóricas que embasam seus fazeres e saberes pedagógicos, ou que possibilitem a construção de caminhos diferenciados.

Wallon também enfatiza a importância da visão educacional de conjunto, criticando a concepção positivista vigente na época, que fragmenta o individual do grupal, pois "trata-se de integrar os dois polos entre os quais a educação sempre oscilou – a formação da pessoa e sua inserção na coletividade, de maneira a assegurar a sua plena realização". (ALMEIDA e MAHONEY, 2000, p. 72)

Segundo Wallon, a formação psicológica dos professores

> [...] não pode ficar limitada aos livros; deve ter uma referência perpétua nas experiências pedagógicas que eles próprios realizam cotidianamente. O professor precisa conhecer as teorias de desenvolvimento, de aprendizagem, de personalidade que os livros ensinam, mas precisa ter uma atitude permanente de investigador do ser em desenvolvimento ao pesquisar a própria prática. E o conhecimento que aí adquire – na prática – volta para enriquecer as teorias [...]. (in ALMEIDA e MAHONEY, 2000, p. 86)

Dessa premissa é possível destacar a importância do uso dos registros como um instrumento de reflexão e de formação contínua dos educadores para transformar a práxis, revelando a intencionalidade da própria ação, qualificando-a em outro patamar de atuação capaz de promover aprendizagens significativas para si e para o grupo.

Na perspectiva das relações interativas, a autoria do professor é um processo de "re-construção" e "re-criação", que o sujeito faz a partir das conexões que estabelece na "re-leitura" de parceiros teóricos e na articulação que estabelece com a própria prática pedagógica, à luz de suas intervenções cotidianas, mediado pelo(s) outro(s).

Ao "inter-agir", o sujeito relaciona-se com o meio a que pertence e com os demais sujeitos que dele fazem parte, vivenciando um processo que se caracteriza pela dialética da integração e da contradição, requerendo autoconhecimento e posicionamento.

Wallon considera a escola *lócus* privilegiado de construção e ampliação de conhecimento, por favorecer experiências com diferentes grupos e instrumentalizar o indivíduo para participar de outros meios diferenciados da família. Enfatiza o conteúdo e a cultura como elementos de expansão de mundo e desenvolvimento de potencialidades formativas, que transitam do social para o individual em relações que o sujeito vivencia desde o nascimento.

A tomada de consciência de que o processo de aprendizagem está pautado em relações interativas, no autoconhecimento e na complexidade do contexto grupal é um dos desafios para a formação docente na contemporaneidade.

Para Jung (1963), o verdadeiro adulto é responsável por sua própria formação, pois não se contenta em repetir, deseja produzir cultura a partir de seu próprio desenvolvimento e, ao expandir-se no contato com o outro, transforma-se e transforma o outro. Para assumir uma postura potencialmente transformadora, é preciso que o sujeito busque se conhecer e, com ousadia, rompa a barreira da consciência para se defrontar com aspectos criativos e sombrios do inconsciente, emergentes de símbolos, sonhos e imagens. A conexão estabelecida entre aspectos objetivos da realidade com a subjetividade do mundo interno, por meio de trocas interativas, viabiliza a formação integral do sujeito-educador.

Quem educa quem? Quais aspectos devem ser contemplados? A formação de professores na sociedade contemporânea deve se basear na circularidade das interações entre as polaridades – visão dos extremos de um mesmo fato/dado –, pois da forma como é feita atualmente, segundo Ecleide Furlanetto (2003), perpassa por conhecimentos teóricos e técnicos que são insuficientes.

A educação, para Jung (1963), deve ser considerada um espaço para criar seres autônomos, que possibilite a configuração do indivíduo como um ser único, capaz de destacar-se da consciência coletiva, revelando a sua singularidade. De acordo com Furlanetto (2003), a educação é um processo sem término, que solicita tempos-espaços adequados para acontecer e apropriados aos adultos egressos dos cursos iniciais preparatórios para o exercício da docência.

Segundo Jung (1963), a aprendizagem está profundamente imbricada nos processos existenciais vividos pelo adulto na ampliação de sua consciência – o que permeará a relação estabelecida com os alunos – e esses movimentos não ocorrem sem que o adulto assuma seus próprios processos de (trans)formação. Esse movimento implica vasculhar "nichos", a essência de cada um, o que articula conteúdos criativos, mas também bastante defensivos pelas emoções que despertam nos outros e em si.

Refletir, para Furlanetto (2003, p. 23),

> não é um exercício linear. Envolve, além da razão, a nossa emoção; articula conteúdos inconscientes – criativos e defensivos – que ora nos possibilitam, ora nos dificultam os movimentos de ampliação da consciência.

E agora? Qual a ideia de formação a que chegamos?

Diante das ideias discutidas a partir dos autores citados neste capítulo, chego ao questionamento: Como transformar a formação do docente em uma reflexão crítica sobre a própria prática pedagógica?

Uma abordagem metodológica coerente com essa concepção de sujeito e de educação, que será desenvolvida neste livro, é o trabalho com projetos, instrumentos metodológicos, redes e portfólios focados no trabalho coletivo, buscando estruturar uma cultura de grupo de educadores da Educação Infantil e das séries iniciais do Ensino Fundamental I.

A formação de professores perpassa pela definição inicial do termo, a fim de explicitar a concepção de sujeito, de mundo e de educação que a norteia:

- O que é formar(-se) na contemporaneidade?
- Como lidar com desafios cotidianos?
- Como produzir interativamente aprendizagens significativas?
- Como investigar a metodologia da formação docente no sentido epistemológico que Piaget conferiu à aprendizagem do sujeito?

Segundo Piaget,

> [...] para fazer uma epistemologia de uma maneira objetiva e científica, não é preciso tomar o conhecimento com C maiúsculo, como um estado sob suas formas superiores, mas achar os processos de formação. [...] O estudo destas transformações do conhecimento, o ajustamento progressivo do saber, é o que eu chamo de Epistemologia Genética [...]. (1970, p. 68)

E quais seriam os caminhos da formação docente? Quais os elementos que a constituiriam?

A partir do conceito piagetiano de "sujeito-cognoscente", minha escolha por trabalhar com projetos de acordo com o pensamento de Loris Malaguzzi aponta para uma união de princípios em sintonia, propostas similares, visões compartilhadas.

> **SUJEITO-COGNOSCENTE**
>
> É alguém que procura ativamente conhecer o mundo ao seu redor para tentar resolver os desafios que lhe são apresentados; alguém que aprende por meio das próprias ações sobre os objetos e constrói as suas próprias categorias de pensamento, ao mesmo tempo em que as utiliza para organizar o seu mundo. ■

A clareza das respostas na construção dos projetos (veja a página 141) – O quê? Por quê? Como? Para quê? Para quem? Quando? – explicita a intencionalidade da ação docente, a tomada de consciência da prática pedagógica para se tornar uma prática intencional, a coerência interativa entre o fazer e o saber pedagógicos constituintes do "ser professor".

Para "re-significar", contudo, outras perguntas precisam embasar as ações de formação:

- Qual o percurso de "re-criação" de características, hábitos e costumes marcantes que identificam um grupo de professores de Educação Infantil comprometido com a qualidade da ação docente?
- Como contemplar e valorizar a cultura da infância?

- Qual a forma mais adequada para manifestação de saberes e fazeres dos educadores que, simultaneamente, possibilite a expressão dos sujeitos envolvidos no processo de aprendizagem (professores e crianças)?

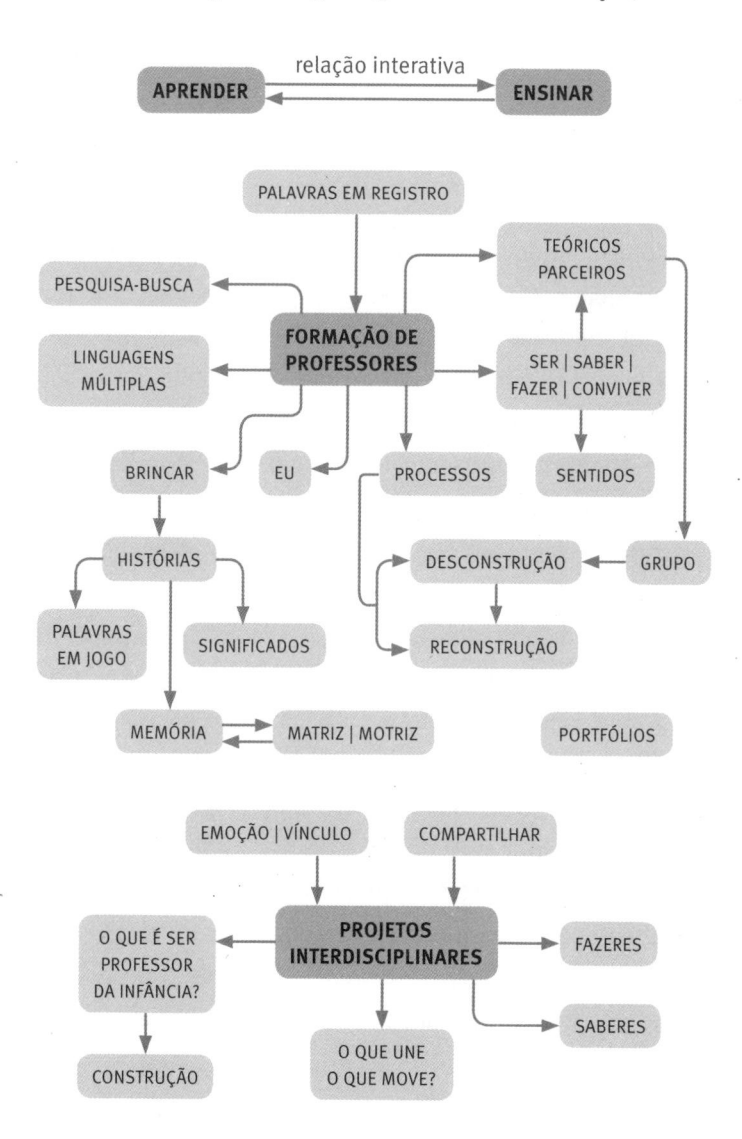

APRENDER ⇄ ENSINAR
relação interativa

PALAVRAS EM REGISTRO

FORMAÇÃO DE PROFESSORES

- PESQUISA-BUSCA
- LINGUAGENS MÚLTIPLAS
- TEÓRICOS PARCEIROS
- SER | SABER | FAZER | CONVIVER
- BRINCAR
- EU
- PROCESSOS
- SENTIDOS
- HISTÓRIAS
- DESCONSTRUÇÃO
- GRUPO
- RECONSTRUÇÃO
- PALAVRAS EM JOGO
- SIGNIFICADOS
- MEMÓRIA ⇄ MATRIZ | MOTRIZ
- PORTFÓLIOS

PROJETOS INTERDISCIPLINARES

- EMOÇÃO | VÍNCULO
- COMPARTILHAR
- O QUE É SER PROFESSOR DA INFÂNCIA?
- FAZERES
- SABERES
- CONSTRUÇÃO
- O QUE UNE O QUE MOVE?

Mais uma vez, encontro inspiração nas palavras de Munduruku:

> [...] não escolhi ser índio... mas escolhi ser professor, ou melhor, confessor de meus sonhos. Desejo narrá-los para inspirar outras pessoas a narrar os seus, a fim de que o aprendizado aconteça pelas palavras e pelo silêncio. É assim que "dou" aula: com esperança e com sonhos [...]. (1996, p. 39)

A formação docente, vista como um processo de atribuição de sentido "ao que se faz", "como se faz", "para que se faz" determinadas intervenções é um movimento contínuo de busca e "re-criação" dos elementos centrais que constituem o sujeito-educador: com responsabilidade, envolvimento, autonomia e compromisso qualifica-se, dá-se uma forma, cria-se uma imagem como profissional de educação.

No grupo, formas de agir e de pensar são discutidas e construídas coletivamente, sem receitas ou moldes de atuação, mas com questionamento crítico e reflexão permanente sobre possibilidades diferenciadas de ação em determinadas situações, ampliando o repertório dos docentes e a clareza de justificativas para as intervenções a serem feitas.

O termo "sujeito" designa o indivíduo consciente e capaz de agir autonomamente, alguém que não se deixa manipular por outrem, que não reproduz imposições e prescrições como se fossem receitas e "formas" de atuação apresentadas como planejamentos, previamente elaborados e disponíveis no mercado editorial, que podem ser pontos de partida, aquecimento de discussões e decisões compartilhadas.

Qual *lócus* de formação seria mais adequado para propiciar reais mudanças nos sujeitos da ação?

Apesar da ampla divulgação pela mídia contemporânea de cursos, palestras, seminários, congressos, oficinas e literatura especializada para "reciclagem" e "capacitação" de professores, termos que são inadequados à complexidade do tema por desconsiderarem, na maior parte das propostas, a experiência vivida pelo educador até o momento, acredito que a formação em serviço deva ser feita no local de trabalho do sujeito: na escola ou em grupos de estudo para aprofundamento em longo prazo.

Justifico a opção da escola por ser o ambiente real de atuação dos professores/coordenadores/diretores e crianças, contexto no qual as situações de conflito acontecem, em especial, por contemplar a presença do grupo como um todo.

Nessa perspectiva, é de fundamental importância a configuração de tempos e espaço de formação, como as reuniões pedagógicas com este objetivo e o respaldo da escolha de teóricos que compartilham os princípios propostos, que devem ser explicitados no projeto pedagógico institucional.

E por mencionar as reuniões pedagógicas voltadas à formação de professores, considero que devem se constituir como um espaço privilegiado de encontro entre os sujeitos e a cultura. Precisam ser devidamente planejadas pelo coordenador, com objetivos específicos, pautas explícitas com o foco do encontro, socializadas com o grupo; dinâmicas, tarefas e atividades estreitamente relacionadas ao que se pretende tratar; avaliação da proposta feita; e registro, não só do trabalho proposto/realizado, mas também das decisões tomadas pelo grupo.

Só há possibilidade de transformação, de fato, na atitude dos docentes se houver, por parte do grupo, compreensão do que está sendo feito, do por que (motivo) e do para que (objetivo) está sendo feito, num movimento coletivo de atribuição de sentido à proposta realizada pela coordenação, ou pelos professores de acordo com suas reais necessidades.

As reuniões pedagógicas nas quais sejam vivenciadas trocas de experiências significativas podem se converter em espaços (trans)formadores, como nas experiências que registrei ao longo do livro.

Reuniões em que o diálogo possa ser estabelecido, em que as vozes dos educadores tenham espaço; que promovam escuta por parte do grupo, compartilhando dúvidas, conflitos e conquistas; que incentivem o respeito à diversidade dos sujeitos que participam e a elaboração coletiva de diferentes soluções; que fortaleçam a cultura do grupo, os sentimentos de pertencimento e a parceria entre seus membros; que reforcem a identidade do grupo e oportunizem aprendizagens significativas para as crianças – objetivo final de todo o processo educativo.

A troca de experiências que transforma

Segundo García, as mudanças implicam transformações nos modos de agir e pensar padronizados e na organização escolar como um todo. Portanto, requerem a presença de todos os envolvidos no processo educacional para que os *habitus* locais se constituam em valores característicos do grupo de Educação Infantil e da instituição, atribuindo-lhes uma identidade genuína, modificando determinados padrões que precisam de alterações para se adequar a novas exigências/necessidades.

Ao se repensar uma determinada situação, os professores se deparam com a problematização de suas práticas, articulando-as à discussão realizada, podendo conservá-las ou modificá-las com consciência, autonomia de decisão e envolvimento com o conflito: Como estabelecer conexões entre o modo de agir/pensar de cada um e do grupo como um todo?

O desafio de organizar o pensamento para expor ao outro uma experiência vivenciada na sala de aula, isoladamente, caracteriza a socialização como um percurso formador trabalhado nas reuniões pedagógicas: trocas de experiências, relatos e diálogos sobre o dia a dia dos grupos possibilitam a reflexão sobre a ação pedagógica ao mesmo tempo em que se mostram como novas possibilidades aos integrantes do grupo.

- Como construir coletivamente novas respostas a padrões predeterminados de ação?
- Como provocar o pensar sobre o que se faz?
- Como transformar matrizes construídas ao longo da trajetória do educador?
- Quais ações têm sentido para o professor?

Como vimos, de acordo com Piaget, o desenvolvimento se dá de acordo com as estruturas internas do sujeito, que vão, gradativamente, se tornando mais complexas à medida que são desestabilizadas por outros sujeitos e por objetos culturais. A falta de respostas aos desafios propostos pelo meio provoca a ação do sujeito em busca de respostas diferentes das que ele dispõe.

O coordenador pedagógico deve trabalhar com o fortalecimento e a ampliação das formas de agir e pensar dos professores, a fim de que eles possam, da mesma forma, gerenciar experiências de cidadania entre as crianças de seus grupos, construir valores e instrumentos que auxiliem a atuação na sociedade, com autoconfiança, respeito ao outro e à diversidade, com sentimento de coletividade e pertencimento a determinado grupo com o qual se identifique.

A escola ocupa posição central na construção e no exercício da cidadania, da vida em grupo, na elaboração de conhecimentos centrais que sejam traduzidos em saberes e fazeres a serviço do desenvolvimento de competências e habilidades, que favoreçam o ser/estar/fazer do sujeito no mundo contemporâneo.

Cabe ao professor/educador em formação permanente pensar sobre os desafios, os novos conhecimentos e as práticas diferenciadas na perspectiva do que "faz sentido" e pode se tornar um instrumento pessoal para a tomada de decisões: a vivência significativa transformada em experiência, algo que deixou marcas, que se agregou à memória da matriz do sujeito, sem esquecimento.

Segundo Larrosa:

> [...] a experiência entendida como uma expedição em que se pode escutar o "inaudito" e em que se pode ler o não lido, isto é, um convite para romper com os sistemas de educação que dão o mundo já interpretado,

já configurado de uma determinada maneira, já lido e, portanto, ilegível [...]. (1999, p. 10-1)

As matrizes significadas e validadas pelo grupo de pertencimento autorizam o professor a favor de expressar seu modo de ver/estar na docência, qualificando-o no exercício da profissão, pois a pessoa e o profissional da educação são inseparáveis, assim como para Nóvoa (1995) e García (1999).

O que é necessário para a relação pedagógica?

A competência docente habilita o educador para aspectos básicos do exercício da relação pedagógica destacados por Lino de Macedo (2009):

1. Domínio das múltiplas linguagens, escrita e visual, que dê recursos ao educador para saber dizer/escrever o que pensa, comunicando-se, tornando presente o pensamento em seu discurso, desenvolvendo a capacidade de argumentar seu ponto de vista e dialogar com o do outro.

2. Domínio na compreensão de fenômenos coletivos, desenvolvendo a capacidade de trabalhar as informações recebidas, questionando-as e atribuindo-lhes sentido de acordo com os conhecimentos prévios e as matrizes pessoais.

3. Domínio para enfrentar situações-problema e aprender com elas, superando o conflito inicial e transformando-o em fonte de aprendizagem.

4. Domínio para elaborar propostas diferenciadas, avaliando-as e concretizando-as em novas ações.

Diante deste cenário, complemento as ideias descritas por Macedo com os quatro pilares da Educação para o século XXI, citados no Relatório Delors para a Unesco (1999): aprender a fazer, a conhecer, a ser e a conviver destacando a relação estabelecida pelas quatro aprendizagens.

O texto do relatório enfatiza a importância do convívio, da vida em grupo e da construção de objetivos em comum entre grupos de pessoas, concluindo ser preciso "aprender a aprender" como uma das metas da educação para o novo milênio.

Para fechar a reflexão desenvolvida até aqui, deixo um quadro que sintetiza o desenvolvimento profissional do professor/educador em relação aos vários aspectos abordados neste capítulo e que serão desenvolvidos ao longo do livro:

```
                    DESENVOLVIMENTO
                     DE CARREIRA
    CONHECIMENTO E                      DESENVOLVIMENTO
    COMPREENSÃO DE SI                    PEDAGÓGICO
    (AUTOCONHECIMENTO)
                    DESENVOLVIMENTO
                    PROFISSIONAL DO
                       PROFESSOR
    DESENVOLVIMENTO                     DESENVOLVIMENTO
    COGNITIVO                            TEÓRICO
                      INVESTIGAÇÃO
                         ├ família
                         ├ currículo e inovação
                         ├ ensino
                         └ professores
```

INSTRUMENTOS METODOLÓGICOS

> [...] A segunda coisa é achar o caminho... não desisto... É isso que dá o curiosismo... Mas mesmo assim, esta vida não deixa de ser curiosa [...].
>
> Lewis Carroll

A partir da concepção de formação do professor, descrita no capítulo anterior, surgem algumas questões:

- Qual metodologia contempla a proposta expressa neste livro?
- O que é metodologia?
- Quais as suas possibilidades?
- De que maneira elas seriam efetivadas?
- O que é (trans)formar por meio de uma metodologia de trabalho?
- Qual a relação entre metodologia e a postura de educador?
- E as conexões estabelecidas entre os saberes e fazeres do educador?

O significado da palavra "metodologia", segundo o *Grande dicionário etimológico prosódico da Língua Portuguesa* de Silveira Bueno (1965), remete à ideia de que cada ciência tem o seu método próprio de lidar com situações de ensino-aprendizagem, à arte de dirigir o espírito na investigação da verdade; contempla, também, o processo utilizado para se atingir um determinado fim, um modo ordenado de proceder, um conjunto de regras e procedimentos técnicos e científicos utilizados para o ensino de uma ciência ou arte.

Enquanto o "método" tem uma abrangência mais ampla, um caráter mais disciplinar e regulador dos processos educacionais, a "metodologia" tem como foco uma maneira mais eficaz de atingir determinado objetivo cultural ou científico.

A "arte de ensinar" é um dos desafios assumidos pelos educadores, que têm a seu favor alguns instrumentos metodológicos auxiliares no desenvolvimento de seu papel de professor, que apoiam a construção de uma prática pedagógica compromissada com aprendizagens significativas pessoais e para o grupo com o qual o professor/educador trabalha.

Esses instrumentos metodológicos são: planejamento, observação, registro, reflexão e avaliação.

O objetivo do uso desses instrumentos é facilitar e organizar a ação pedagógica, documentá-la, planejá-la, refletir sobre ela, registrá-la para poder avaliar e replanejar. Assim, a história vai sendo construída; a trajetória do processo vai fluindo e tomando corpo; a formação contínua de educadores vai se processando por meio do fio da meada que é tecido no cotidiano da escola, em parceria com todos os envolvidos no processo educacional: direção, coordenação, professores, crianças, famílias e comunidade.

E esse processo de construção do conhecimento é contínuo, nasce das interações processadas com os outros, do diálogo estabelecido consigo mesmo e da exploração dos objetos oferecidos pelo meio cultural, que envolve angústias, ansiedades, frustrações, desafios, reflexões, mas que oportuniza conquistas, realizações, satisfação, crescimento e aprendizagens com sentido. O educador busca a autonomia da própria ação como sujeito do processo de construção de conhecimento.

```
Parceiros teóricos ↔ CONCEPÇÃO DE EDUCAÇÃO, DE SUJEITO E DE MUNDO ↔ Experiências significativas
                          ↓
    PLANEJAMENTO ← IM → OBSERVAÇÃO
         ↓                    ↓
      REGISTRO            AVALIAÇÃO
              ↘  REFLEXÃO  ↙
```

Planejamento: organização do cotidiano

Esse instrumento metodológico é o ponto de partida e de chegada de todo e qualquer trabalho referente à educação, pois é responsabilidade do professor organizar como ele pretende trabalhar com os objetivos e conceitos propostos ao seu grupo.

Desenvolvi uma pesquisa sobre formação de professores em serviço com um grupo de Educação Infantil durante quatro anos. A partir da leitura dos registros das professoras com as quais trabalhei nesse período, vou subdividir em três as fases de planejamento, pois pude confirmar o que já havia constatado como professora: nem sempre a aula transcorre do modo como foi planejada, o que implica outra forma de registro.

> **Planejamento:** *s.m.* (*planejar* + *mento*) **1** *Var. planeamento.* **2** Ato de projetar um trabalho, serviço ou mais complexo empreendimento. **3** Determinação dos objetivos ou metas de um empreendimento, como também da coordenação de meios e recursos para atingi-los; planificação de serviços. **4** Dependência de uma indústria ou repartição pública, com o encargo de planejar serviços. (*Dicionário Michaelis on-line*)

1. Planejamento antes da atividade (prévio): realizado com base em experiências anteriores e na leitura de registros sobre o trabalho desenvolvido; tem como função nortear o fazer cotidiano, de acordo com as observações e as avaliações articuladas aos objetivos propostos. É um ponto de partida para o trabalho a ser realizado e deve contemplar o tempo de evocação (retomada) e de fixação (sistematização e apropriação) para que o conhecimento seja referendado e memorizado, adequando o currículo em ação às propostas previamente estabelecidas.

> **EVOCAÇÃO E FIXAÇÃO**
>
> Evocar significa lembrar, buscar o fio condutor da pesquisa que está sendo feita em torno de um determinado objeto para dar continuidade, indo além das informações iniciais.

> Fixar remete a pôr em prática descobertas e conhecimentos construídos em diferentes situações, para que o grupo possa fazer uso e dele se apropriar cada vez mais. Para que isso possa acontecer, é essencial a sistematização, a organização e o compartilhamento de informações socializadas no grupo. ■

2. Planejamento posterior (realizado): com base na experiência concretizada, registra-se o que, de fato, aconteceu. Por ser uma construção do grupo, o processo está sujeito a imprevistos, situações emergentes a serem consideradas. É preciso fazer uma reconstrução reflexiva dos interesses-necessidades-faltas dos participantes, refletindo sobre o percurso desenvolvido, seus fazeres e saberes pedagógicos cotidianos. Ao registrar o que foi vivido pelo grupo, revela-se o fio condutor da proposta e os ajustes realizados ao longo do processo.

3. Replanejamento dos passos seguintes (ajuste da proposta): é a construção da continuidade do planejamento prévio articulado ao que foi vivido na ação do grupo. Algo vivo, um currículo conectado à realidade, com características individualizadas, que tem como referência os conteúdos do projeto pedagógico da escola. Ao replanejar, o professor-autor, mediador da construção de conhecimentos, deve estar atento para possibilitar que seus aprendizes signifiquem informações e vivências, transformando-as em aprendizagens contextualizadas, com sentido. Esse tipo de planejamento/registro não só pode transformar o ato de ensinar em investigação criativa, mas também propiciar que o professor se transforme em autor da produção de conhecimentos sobre o ensino a partir da pesquisa em relação à própria ação, visando o contínuo aperfeiçoamento e à adequação das atividades curriculares pedagógicas ao construir um "currículo em ação".

Há sempre aspectos dos âmbitos de experiências do projeto pedagógico institucional a serem "ensinados--aprendidos", e é fundamental que o professor tenha a clareza do que pretende atingir em cada proposta feita. Mas há, também, os conteúdos dos sujeitos que precisam ser contemplados de acordo com a faixa etária, ritmo do grupo, características individuais de seus membros, interesses, ansiedades, frustrações, medos, articulando-se a todo instante a relação eu-outro, as singularidades dos integrantes do grupo com o que é coletivo e de interesse comum.

Independentemente da fase do planejamento é fundamental que ele seja flexível, pois o professor deve ter abertura para considerar os interesses momentâneos emergentes no grupo e os acontecimentos inusitados, que também fazem parte do cotidiano, contextualizando-os com o percurso do trabalho realizado.

No planejamento, o tempo, o espaço, os materiais a serem utilizados e as interações passíveis de acontecer são quatro fatores determinantes. Por exemplo: há limites do espaço físico real, que está à disposição do professor, assim como há limite do tempo necessário para pôr em prática o que planejou. É preciso considerar os ritmos individuais de aprendizagem e o tempo que o grupo leva para construir e socializar o conhecimento.

O planejamento é construído no registro do dia a dia do grupo, adequado a necessidades e interesses das crianças, mas tem o papel de manter a coesão e a proposta inicial do educador para não cair em uma atitude "espontaneísta" e se distanciar dos objetivos propostos.

Observação

O objetivo deste instrumento metodológico é o de apurar o olhar e a escuta do professor, permitindo-lhe fazer a leitura do que acontece em seu grupo – tanto de fatos explícitos quanto implícitos, muitas vezes nebulosos –, detectando necessidades, desejos, faltas e interesses dos sujeitos envolvidos no processo de aprendizagem.

É fundamental a observação dos momentos de conflito pelos quais o grupo passa, dos momentos de silêncio, de desinteresse, de agitação e de ansiedade, pois eles fazem parte do aprender. Sem situações-problema interessantes e instigantes, dúvidas, ansiedades e a consciência do não saber, enfim, sem a vivência do conflito cognitivo, as crianças não se sentirão suficientemente desafiadas para conhecer.

> **CONFLITO COGNITIVO**
>
> O termo "conflito cognitivo", na visão de Piaget, refere-se às divergências de hipóteses entre o sujeito e seu interlocutor, a desafios que os objetos provocam e a situações-problema para as quais a criança se depara com a falta de respostas. ■

O professor precisa certificar-se do que realmente vê, contrapondo-se ao que ele acha que sabe sobre o grupo.

Para observar é fundamental conhecer as características da faixa etária com a qual se trabalha, para poder criar desafios pertinentes e possibilitar que os alunos superem o que já sabem. Para haver aprendizagem é preciso ir além da zona real do sujeito, do que ele já conhece e trabalhar na sua zona de desenvolvimento proximal, pois a criança pode assimilar todo o entorno do ambiente escolar ao qual está exposta. Segundo Vygotsky (1989), no processo de desenvolvimento cultural, a criança assimila não somente o conteúdo da experiência cultural, como também os procedimentos da conduta cultural e do pensamento; domina os meios culturais particulares criados pela humanidade no processo de desenvolvimento histórico, por exemplo, o idioma, os símbolos aritméticos etc.

Para que a observação não se perca, e o olhar não se disperse diante da multiplicidade de fatos para observar, é fundamental que se estabeleça um foco, ou seja, o planejamento da prioridade de trabalho para direcionar o olhar e a escuta.

Isso só é possível se houver um planejamento de pontos de observação, elaborados previamente. Esse planejamento parte do objetivo proposto: a partir dele é feita a escolha do que será observado – interesse, participação, envolvimento, dinâmica utilizada, aprendizagem do grupo ou de alguns membros.

Feita a observação das práticas culturais do grupo, o professor tem em mãos a matéria-prima para seu registro, que pode ser feito no ato da observação ou posteriormente. O registro simultâneo à observação garante a memória de comentários das crianças, curiosidades ou eventuais falhas, que são pistas essenciais à reflexão sobre o percurso.

Registro

O registro é definido como um material de escrita, fruto das experiências vividas pelo professor. Uma forma de estudo e organização do cotidiano, além de ser uma fonte de memória. O ato de registrar possibilita um estudo reflexivo do professor em relação ao seu grupo e à sua prática pedagógica, pois lhe permite refletir com distanciamento sobre fatos, sujeitos, práticas culturais do contexto observado e conhecimentos produzidos.

O registro permite comunicar ao elemento que está ausente (coordenação, outro professor do grupo, professores em formação) o trabalho desenvolvido, além de constituir uma forma de documentação da trajetória do professor com o seu grupo – que é único, singular –, transformando-o em uma fonte viva de história.

Ao escrever, o professor deixa marcas, que são muito mais comprometedoras do que as palavras, que se perdem e se esvaziam. O fato de escrever é fonte de dificuldade no processo de aquisição do hábito de registrar, dada a complexidade da escrita formal, pelo fato de as palavras exigirem posicionamentos e responsabilidades consequentes. Esse é um dos obstáculos a serem transpostos, o que só acontece com a familiaridade e a constância do ato de registrar.

O registro contém aspectos objetivos e subjetivos, pois lida com a forma particular/individual de quem o redigiu – ele tem um caráter pessoal e único, que precisa ser mantido. Não há uma receita, uma forma, pois cada sujeito tem as suas características, a sua história de vida e as suas peculiaridades.

O registro escrito pode ser ampliado e se manifestar, também, por meio de diferentes linguagens: visual, auditiva, estética, escrita, plástica, entre outras. Ao registrar busca-se o ser integral, total, pois os aspectos cognitivos e afetivos são inseparáveis; tudo o que se refira ao sujeito, educador e educando, deve ser considerado dentro de um contexto.

O ato de registrar é um momento de pausa para reflexão, tomada de consciência da realidade e de escolha dos caminhos a serem seguidos. É a hora de fazer um recorte nas prioridades do trabalho, tendo a clareza das perdas que cada opção envolve. É o momento de assumir posicionamentos, construindo os próprios caminhos, individualizando o que foi construído e aprendido com o grupo ao qual pertença.

O registro, segundo Madalena Freire (1995), passa por dois momentos diferenciados: num movimento inicial, ele é feito no ato, tendo como apoio os pontos de observação a princípio propostos, quando se registram palavras-chave que remetam ao conteúdo central, frases marcantes, sensações, rotina, tarefas, material suficiente para reconstrução do processo vivido e posterior análise; numa etapa seguinte, na qual o sujeito se encontra distanciado do contexto, o registro deve ser refeito sob um novo olhar, articulando a situação vivida com as experiências anteriores do sujeito, transformando-se em material de reflexão, de ampliação das matrizes pedagógicas e transformação da prática pedagógica do educador.

O ato de registrar é um exercício diário sobre o cotidiano da sala de aula, que envolve treino e disciplina, além de fazer o sujeito educador operar diversas habilidades mentais, tais como: observar, sintetizar, priorizar, agrupar, selecionar, analisar, optar ao se apropriar das experiências vividas.

Reflexão

A partir do registro feito no ato sobre o que foi visto, intuído, aprendido e observado, o educador deve refletir sobre o seu fazer pedagógico cotidiano, ressignificando-o, teorizando-o e transformando-o em novas aprendizagens.

O distanciamento e a escrita reflexiva oportunizam a ampliação dos conhecimentos já existentes, à luz de novas parcerias teóricas que os respaldem. O professor reflexivo e consciente do seu papel profissional constrói a própria teoria, que revela o seu "ser-saber-fazer" pedagógico, tornando-se autor do seu processo de crescimento compartilhado no grupo, evidenciando a relação associativa entre teoria e prática consciente, fundamental à formação do professor reflexivo.

Avaliação

A avaliação como instrumento metodológico é considerada com um novo olhar, diferenciado do enfoque tradicional de caráter seletivo, autoritário e excludente de julgamento. Ela passa a ser vista sob a ótica da formação, como um diagnóstico do que se passou até o momento no processo de ensino-aprendizagem, com a intenção de "checar" o que o grupo construiu como aprendizagem, individual e coletivamente. Ela é decorrente dos registros do professor, das observações, da reflexão posterior, do planejamento proposto e das experiências vivenciadas.

A avaliação é fonte de replanejamento, pois prioriza e estabelece os passos seguintes do trabalho, verifica se os objetivos iniciais foram atingidos e qual aprendizagem foi, ou poderia ter sido, construída pelo grupo.

Como função final, a avaliação tem um papel de autoavaliação do educador, pois ele se analisa em relação ao trabalho desenvolvido, buscando as mudanças e os ajustes necessários.

Os instrumentos metodológicos têm a função de auxiliar e organizar o trabalho do professor na construção de sua competência e na apropriação de uma prática pedagógica comprometida com a sua aprendizagem permanente e a de seus alunos, com qualidade e responsabilidade.

Concluindo, a familiaridade com o uso dos instrumentos metodológicos possibilita ao educador crescimento profissional, prazer da conquista, superação dos obstáculos iniciais e manutenção do desejo de ser um educador competente, ou seja, um sujeito que busca o "ser-saber-fazer" com qualidade, autonomia e comprometimento com a realidade a que pertence!

O TRABALHO COM PROJETOS

> *Se concebermos os projetos como uma produção investigadora, mediadora e contextualizada do professor, e os considerarmos como um momento privilegiado em seu processo de formação contínua, o significado de um registro em um projeto é ampliado [...] e isto faz diferença, porque implica na construção de significados em nossa prática pedagógica que funcionam como alimento para novos projetos [...] cada situação particular é julgada no sentido de tornar relevante o que é para ser visto, conhecido e comentado [...] não é fácil a vida de um projeto, mas tem algo especial...*
>
> Mirian Celeste Martins

- O que me move?
- O que move a formação do outro?
- O que é projeto?
- O trabalho configura-se como uma metodologia? Ou é uma postura do educador comprometido com a aprendizagem pessoal e do outro?
- Quais teóricos referendam esta abordagem?
- Quais as etapas de trabalho?

Essas são algumas das questões centrais sobre as quais refletiremos ao longo deste capítulo.

Os projetos – atitude, postura interdisciplinar de ensino-aprendizagem, concepção de educação pautada no desenvolvimento do ser humano – desvelam uma abertura do educador para redefinir um currículo de integração entre áreas do conhecimento e âmbitos de experiências das crianças. São conhecimentos que se complementam; procedimentos específicos para a organização do trabalho, enfatizando a cada etapa do percurso o papel do grupo na construção do conhecimento de cada um de seus membros; e a visão de escola como um espaço de trocas e de fortalecimento de uma atitude investigativa, crítica e cooperativa do cidadão no mundo, que interpreta a realidade para atuar e provocar mudanças necessárias, com convívio respeitoso na diversidade e na solidariedade.

Os projetos têm um caráter de agregação, de transcendência das várias áreas do conhecimento e suas disciplinas, de busca de confluências e estabelecimento de conexões e associações que produzam sentido para os sujeitos-aprendizes envolvidos no processo. Portanto, uma atitude interdisciplinar no sentido abordado por Ivani Fazenda (2008), a postura interdisciplinar abrange um significado interacional e um caráter de interdependência entre as disciplinas e áreas do conhecimento, refere-se às questões da estética do ato de apreender, ao espaço do apreender, ao design do projetar, ao tempo de apreender e à importância simbólica do apreender.

Mas, qual seria esse ponto de interseção, o elemento de ligação entre os conceitos a serem explorados em cada projeto?

O tema de cada projeto traduz o seu eixo central, como um "útero" gestacional, que norteia toda a pesquisa a ser realizada pelo grupo ao redor de um objeto ou questão que despertou o interesse das crianças ou um conflito a ser superado; é, ao mesmo tempo, ponto de partida e de chegada, que conduz o grupo para um determinado fim. O aspecto da chegada é importante, pois, tomando-se a visão como exemplo, temos que, sem foco, o olhar humano tudo vê, e em nada se fixa; portanto, o tema do projeto é fio condutor da narrativa e do trabalho realizado, um elemento aglutinador que orienta o olhar do educador para o foco em questão, como um mapa de possibilidades para a construção de aprendizagens significativas.

O trabalho com projetos é uma atitude, uma postura, uma concepção que vai além de uma metodologia; promove a reflexão do educador sobre o seu "ser-saber-fazer" pedagógico, contribui para desabrochar um sujeito sensível, capaz de ver o(s) outro(s) em si, seus parceiros "mobilizadores" da ação: alguém que reflete sobre a própria prática e pesquisa o seu sentido em uma busca permanente de autoconhecimento.

Ao grupo, promove a mediação entre o conhecimento formal acumulado pela cultura ao longo da história da humanidade e organizado disciplinarmente, e o não formal, que abarca a curiosidade da criança, traduzida em suas perguntas espontâneas, que são fontes genuínas de aprendizagem criativa e significativa por terem a possibilidade de "fazer sentido" a seu autor.

Fernando Hernández (1998), um estudioso do trabalho com projetos, os considera um processo de inovação, uma renovação da sala de aula e o fio condutor para a mudança do currículo, que contempla interesses, necessidades e faltas do grupo, integrando conteúdos do sujeito e da matéria – áreas do conhecimento envolvidas na investigação do conteúdo temático central do projeto. Além disso, os projetos proporcionam um trabalho contextualizado no cenário cultural, como se fosse uma história a ser construída no grupo, uma narrativa coletiva.

O desenvolvimento curricular se concebe, não linearmente e por disciplinas, mas pelas interações em espiral que oportunizam um currículo interdisciplinar em ação: um espaço de escuta, com sensibilidade e flexibilidade para os ajustes necessários. A escola que adota essa postura metodológica de trabalho valoriza a autonomia pessoal enquanto capacidade do sujeito de se autogovernar, conceito baseado nas ideias de Piaget e Kamii, no senso crítico destacado por Paulo Freire (1996), entendido como criticidade e ação no mundo e no sentido de democracia, visto como participação de todos em torno de objetivos comuns, demarcados pelo critério de atualização cultural.

"A aprendizagem se baseia em sua significatividade que, junto à globalização, são dois aspectos essenciais dos projetos" (HERNÁNDEZ, 1998, p. 63). Essa caracterização dos projetos como metodologia, vista como um "saber-fazer" determinado por passos predefinidos, que pouco altera a concepção de currículo e o potencial de aprendizagem do grupo, foi superada e ampliada pela visão de atitude/postura proposta por Malaguzzi, conforme veremos mais adiante.

O trabalho com projetos, tal como atitude do professor,

pode ser definido como uma postura do educador que vai além de uma metodologia. É um "vir a ser", um processo que tem por base objetivos em comum, a serem atingidos individual e coletivamente, procedimentos e ações a serem realizadas e, principalmente, que está pautado em relações interativas com os membros do grupo.

Como síntese, os pontos fundamentais do trabalho com projetos podem ser relacionados metaforicamente às funções dos sinais de pontuação da língua portuguesa, numa criação de sentidos:

- **?** o ponto de interrogação refere-se à capacidade de questionar;
- **!** o ponto de exclamação relaciona-se à capacidade de espantar-se diante do mundo e de buscar a informação;
- **,** a vírgula refere-se à capacidade de dar continuidade;
- **;** o ponto e vírgula busca um encadeamento entre os fatos, ideias e hipóteses, reconstruindo a dimensão do todo;
- **:** dois-pontos referem-se à capacidade de afirmar hipóteses e conclusões;
- **.** o ponto-final, à capacidade para concluir, mesmo que momentaneamente;
- **...** as reticências rementem à possibilidade de ir além, superando a proposta inicial.

O quadro reproduzido a seguir sintetiza os elementos centrais dos projetos integrados, traduzindo na forma de mapa conceitual a visão de "currículo em ação", que caracteriza o trabalho com projetos.

PROFESSOR

- "VIR A SER" + PLANEJAMENTO
- PROJETOS EM AÇÃO: conjunto de atividades articuladas entre si
- REFLEXÃO E REGISTRO: postura metodológica
- CONTÍNUA REVISÃO DO PROJETO PEDAGÓGICO

CURRÍCULO EM AÇÃO: PROJETOS INTEGRADOS

ALUNO | SOCIEDADE

- ETAPAS
  - CONHECIMENTOS PRÉVIOS
  - SITUAÇÕES-PROBLEMA
  - INDEPENDÊNCIA
- INTERESSE DO GRUPO
- SOCIEDADE
- CONHECIMENTO E CULTURA

APRENDER A APRENDER A ENSINAR

Como cheguei ao trabalho com projetos

O trabalho com projetos surgiu, no meu percurso profissional, do desconforto que vivi como professora de Educação Infantil no período 1974-1995. Os planejamentos institucionais prescritos pela coordenação da época não contemplavam interesses, necessidades e faltas emergentes do grupo: estabelecidos *a priori*, desconsideravam todo o potencial de aprendizagem da criança quando ela se identificava com a proposta pedagógica.

Além disso, um planejamento distribuído em quinzenas, previamente estabelecidos da mesma forma para todos os grupos da instituição, provocava certo "engessamento" na proposta de trabalho. Assim, desenvolvia-se um "currículo oculto", real, de acordo com cada um dos grupos, cujo fio condutor era uma história: narrativas que organizavam fazeres e saberes dos professores e mobilizavam a atenção das crianças.

Paralelamente, eu fazia o registro do que acontecia no meu grupo, tanto para não me distanciar dos conteúdos que seriam explorados – inicialmente previstos no planejamento institucional –, quanto para ter elementos a fim de construir os relatórios das crianças. Aos poucos, percebi que uma nova metodologia ganhava forma e, a convite da coordenação, modifiquei o planejamento em uso.

Novo desconforto... Como a minha realidade poderia ser "imposta" às demais professoras de forma bem-sucedida? Como o pulsar do meu grupo poderia ser estendido aos outros? Novamente, o planejamento cotidiano seria diferente do que estava traçado no papel, concretizando a separação teoria e prática.

Em 1996, quando fui para a coordenação, com a certeza de que o planejamento vigente exigia uma revisão e de que esta só seria eficaz se fosse feita coletivamente por todos os envolvidos, comecei a propor a leitura coletiva de todos os objetivos até então prescritos, para que pudessem ser validados, ajustados ou retirados do planejamento.

A base do trabalho realizado semanalmente com os professores foi a releitura dos planejamentos vigentes, a dos Referenciais Curriculares Nacionais para a Educação Infantil, recém-elaborados em uma versão preliminar, que foi posta a consulta pública pelo Ministério da Educação (MEC), publicados em 1998, e de vários textos, por mim selecionados, para a ampliação do olhar sobre determinadas questões, como o trabalho com arte, a construção da rotina e o uso de instrumentos metodológicos no dia a dia do educador.

Após um ano de acaloradas e enriquecedoras discussões de grupo, um novo ponto de partida para planejar o cotidiano da sala de aula foi elaborado: o caderno de objetivos das diferentes áreas de conhecimento, contendo alguns textos de base, que serviam como orientação para o professor. Confirmou-se a certeza de que o professor só atua, de fato, quando se sente representado na produção a ser efetivada, quando reconhece a sua voz entre as demais, quando atribui sentido ao planejamento a ser realizado. Mas ainda existiam perguntas: De que forma os objetivos e os conteúdos estabelecidos pelo grupo se transformariam em uma proposta metodológica?

No fim de 1996 e início de 1997, eu atuava como coordenadora do grupo de Maternal, com crianças de um a quatro anos. Propus a discussão do trabalho com projetos a partir do que vivia como aluna de Madalena Freire e Mirian Celeste Martins, coorientadoras da pesquisa que realizei no Espaço Pedagógico a respeito dos registros das educadoras com as quais eu trabalhava (1998). Projetos de intervenção e de pesquisa mesclavam-se e caminhavam simultaneamente, gerando frutos e atendendo às necessidades de cada uma das 15 integrantes do grupo ao qual eu pertencia (turma número 5, 1996-1998).

E por que não nos apropriarmos dessa metodologia (na época era apenas uma metodologia) na Educação Infantil?

Nessa busca contínua por uma metodologia de qualidade, que atendesse aos interesses, necessidades e carências de cada um dos grupos, e que possibilitasse a autoria do sujeito (realidade que vivi como aluna do Espaço Pedagógico e como professora do Maternal), o grupo da Educação Infantil começou a "engatinhar" na apropriação do trabalho com projetos.

O trabalho com projetos: de sua origem a Malaguzzi

As primeiras ideias relacionadas à pedagogia de projetos

A origem da proposta metodológica remete às matrizes da maiêutica de Sócrates (469-399 a.C.) registrada por Platão (427-347 a.C.), por considerá-la a base da relação pedagógica interativa: "a arte de dar à luz", no sentido de que perguntas são elaboradas para fazer o sujeito pensar em suas próprias questões que, aos poucos, multiplicam-se e tornam-se cada vez mais complexas, produzindo novos conhecimentos. Platão defendia a ideia socrática – um dos princípios básicos que regem a metodologia de projetos – de que não é possível ou desejável transmitir conhecimento aos alunos, mas deve-se levá-los a procurar respostas que satisfaçam suas inquietações. Para Platão, as crianças teriam de ficar à vontade para se desenvolver livremente, de acordo com seus interesses, em busca de suas verdades. Professor e aluno deveriam pensar sobre o próprio pensar, o que também se configura como princípio do trabalho com projetos: "aprender a aprender", em especial, a formular boas perguntas:

> [...] e o Mestre? [...] Ele só pode operar como um braço auxiliar da razão, que, uma vez ativada, traz em si o princípio que a faz produzir, isto é, conhecer. Interferir nesse processo, colocando na alma do outro um saber que não nasceu ali é uma opção pelo fracasso. Ele não promove a conversão, ele não opera o "milagre" que leva a agir. Ou, se o fizer, a conduta assim provocada terá a qualidade das imitações, e bastará uma circunstância negativa para desviá-la de seu verdadeiro fim [...] saberes transplantados têm a leveza das plantas que não têm raízes – apenas o encadeamento promovido dialeticamente pela razão pode aprofundá-los e, consolidando-os, torná-los fixos [...]. (BARROS, 2000, p. 143)

Outra contribuição significativa à construção do conceito da metodologia por projetos foi de Jan Comenius (1592-1670), considerado "o pai da didática moderna". Em sua obra *Didática magna*, ele sistematiza ações educativas, teorias didáticas e práticas cotidianas da sala de aula.

Como no trabalho com projetos, Comenius preconizava as relações entre professor e aluno, considerava os interesses das crianças, a organização do tempo e do currículo real, levando em conta os limites do corpo e a necessidade de mudança de atividade, tanto por parte dos alunos quanto do professor.

Para o filósofo tcheco, todas as crianças, inclusive as com necessidades especiais e as meninas, excluídas do sistema educacional vigente, deveriam aprender brincando. Tal afirmação despertou a sociedade para uma nova concepção de criança, contrária à palmatória dominante nas situações de ensino da época.

Como na metodologia dos projetos... "age idiotamente aquele que pretende ensinar aos alunos não quanto eles podem aprender, mas quanto ele próprio deseja" (Comenius).

A maior contribuição de Comenius à educação em muito se assemelha às premissas do trabalho com projetos: a ideia de trazer a realidade social para a sala de aula, fazendo uso de meios tecnológicos a favor da construção de novos conhecimentos.

A evolução das propostas pedagógicas na modernidade

Friedrich Fröebel (1782-1852), inspirador do movimento a favor do Jardim de Infância – o primeiro *Kindergarten* foi fundado em 28 de junho de 1840, em Blankenburg, na Alemanha –, preocupava-se em mostrar como as coisas estão inter-relacionadas, em contraste com o sistema europeu vigente na época que, de nenhuma forma, indicava um todo unificado, dissociando a escola da vida, da mesma maneira que na época de Comenius.

Para Fröebel a prática pedagógica deve fomentar na criança o desejo de atividade, movimento e criação, mediante jogos e brincadeiras, criando uma proposta educacional que, rapidamente, se espalhou por todo o mundo e persiste até hoje, inclusive na metodologia dos projetos.

Além dessas, outras ideias fröebelianas podem ser associadas ao trabalho com projetos: a parceria escola-família; o valor da experiência e da brincadeira na construção do conhecimento; a valorização do trabalho coletivo; em especial, a importância atribuída à formulação apropriada de problemas reais antes que a sua solução pudesse ser alcançada; e a observação da criança, a fim de desvelar seus reais interesses.

Fröebel, contrariando a visão dominante na época, via a criança como uma "pessoa" com direitos próprios, em igualdade de valor ao adulto, portanto, alguém que coparticipasse do trabalho realizado:

> Os jardins de infância eram instituições onde as crianças eram instigadas às atividades de exploração, observação e verificação; encorajadas a formular perguntas ao invés de prover respostas; auxiliadas a estabelecer regras ao invés de obedecerem a ordens de outros; onde a brincadeira era considerada o mais alto grau de desenvolvimento humano na fase infantil e o pensamento criativo e independente mais importante que a conformidade. (HADDAD, 1999, p. 182-93)

O primeiro trabalho com projetos e novas contribuições para a metodologia

O filósofo norte-americano John Dewey (1859-1952), caracterizado na história da educação como o pensador que enfatizou a importância da prática na construção do conhecimento, agregou contribuições essenciais à metodologia dos projetos, em especial os conceitos de problematização de uma determinada situação, de questionamento da realidade, de articulação entre a teoria e a prática.

Em torno de suas ideias pedagógicas configura-se a primeira versão do trabalho com projetos como uma metodologia pedagógica. Dewey definiu o projeto como um trabalho construtivo, realizado por meio de uma atividade coerentemente ordenada, na qual cada passo prepara para a necessidade seguinte, acrescentando algo ao anterior e o transcendendo de modo acumulativo.

Para Dewey, o pensamento tem a sua origem na resolução de uma situação-problema, solucionada por meio de uma série de atos voluntários. Os quatro princípios elencados por Dewey referentes à aprendizagem são essenciais:

- o interesse do aluno;
- o tempo necessário ao aprender;
- o objetivo da proposta;
- e a sua relação com a atividade planejada.

Desta forma, Dewey introduz a ideia de rede, de encadeamento sistêmico de ideias e atividades, essência do trabalho com projetos na visão relatada neste livro.

As ideias de Dewey foram divulgadas pelo professor norte-americano William Kilpatrick (1871-1965) que, por volta de 1918, criou o "método de projetos", com o objetivo de aproximar as atividades escolares da vida cotidiana dos alunos, a partir da noção de atividade, princípio regente da Escola Nova.

> **ESCOLA NOVA**
>
> A Escola Nova constituiu um movimento mundial, que chegou ao Brasil na década de 1930, quando ganhou força a partir do documento publicado por Anísio Teixeira, Lourenço Filho, Fernando de Azevedo e Cecília Meireles: o *Manifesto dos Pioneiros da Educação Nova* (1932). A intenção era destacar a educação não como uma preparação para a vida, mas como a própria vida, um eixo norteador de experiências e aprendizagens, com igualdade de oportunidades a todos. ∎

O método de Kilpatrick opõe-se à visão de uma escola compartimentada, com o conhecimento descontextualizado e explorado a partir de matérias isoladas. O método de projetos era baseado na criação de uma situação-problema, que possibilitasse um processo de aprendizagem vinculado ao mundo fora da escola e que integrasse as matérias do currículo escolar.

As ideias de Dewey e Kilpatrick somam-se as de Célestin Freinet (1896-1966) e Ovide Decroly (1871-1932). O pensamento de Freinet pode ser associado ao trabalho com projetos pelo seu empenho como educador em elaborar princípios e meios para fazer da educação não um modelo de escola, mas uma obra de vida que contemplasse a criatividade, a descoberta, o interesse e o prazer infantil.

Para Freinet, como na metodologia dos projetos, os pontos de partida e de chegada são as crianças, as pessoas envolvidas na aprendizagem, cuja realização de desejos e interesses é o motor do processo. Ele utiliza o método natural, que tem como base o "tatear" experimental para a criança avançar em sua aprendizagem, pois ela investiga, com autonomia, suas hipóteses iniciais como caminho de construção de conhecimento: "é fazendo que se aprende", numa abordagem similar ao construtivismo piagetiano, que será citado mais à frente neste capítulo.

Freinet também pode ser associado à metodologia dos projetos pela iniciativa das reuniões cooperativas com o objetivo de organizar a vida em grupo: planejar, informar, decidir, avaliar, ajudar a resolver conflitos, "re-planejar"... etapas essenciais às duas propostas. Destaca, também, a importância do grupo para a aprendizagem, desenvolvendo valores, tais como: respeito, tolerância, solidariedade e alegria, que são determinantes nos projetos, caracterizando as duas metodologias como organizações cooperativas e coletivas.

Outras contribuições características da pedagogia de Freinet ao trabalho com projetos são: as rodas de conversa como espaços de expressão e escuta do pensamento do grupo; as aulas-passeio com o objetivo de trazer motivação, ação e vida para a escola; e os álbuns da vida, que podem ser considerados documentação do processo realizado e os primeiros registros em portfólios.

A pedagogia de Freinet preocupou-se com a construção de uma escola ativa e dinâmica, simultaneamente contextualizada do ponto de vista social e cultural, aproximando-se da definição de projetos tal como este livro pretende fazê-lo.

Do pensamento de Decroly associo aos projetos de trabalho a sua premissa central de que as crianças devem viver seus primeiros anos com toda a intensidade, bem como resolver dificuldades compatíveis com o seu momento; caberia ao educador explorar ao máximo a riqueza de possibilidades derivadas da curiosidade infantil.

Para Decroly, a sala de aula está em toda parte e, do mundo que circunda a criança, podem emergir centros de interesse do grupo, como ele denominou os temas cotidianos que se transformam em objetos de investigação, tais e quais nos projetos.

Seu método foi nomeado "centro de interesse", pois conhecimentos e interesses infantis apresentavam-se associados e surgiam do contato da criança com o meio em que ela se encontrava. Observação, associação e expressão caracterizavam-se como etapas da metodologia de Decroly, que também eram registradas e documentadas, aproximando-a e confundindo-a com o trabalho com projetos nas últimas décadas do século XX.

Piaget e a construção do conhecimento

Premissas conceituais fundamentais de Jean Piaget, em suas diversificadas pesquisas sobre o desenvolvimento da criança, transformaram-se em eixos centrais do trabalho com projetos: construção, processo, autonomia e interação.

Piaget destacou a importância da autonomia do sujeito-aprendiz ao afirmar que toda vez que o adulto fizer por uma criança aquilo que ela tenha condições de fazer sozinha, estará privando-a de aprender. Para o pesquisador, o espírito infantil é essencialmente dinâmico e o exercitar-se livremente é essencial à aprendizagem, pois a inteligência nasce da ação.

A metodologia dos projetos, assim como a teoria psicogenética piagetiana sobre como o sujeito aprende, enfatiza o processo de interação entre o indivíduo e o ambiente como fonte de construção de conhecimento. Esse movimento é uma adaptação ao meio, que depende do conhecimento e da forma de o sujeito captar o mundo que o cerca: aprender é construir saberes e habilidades em interação com objetos culturais e outros sujeitos com os quais se convive cotidianamente.

O foco central das ideias de Piaget era a elaboração de uma teoria de conhecimento que pudesse explicar como o organismo conhece o mundo, uma realidade externa ao sujeito do conhecimento; e é a presença dessa realidade que desafia, regula, gera conflitos e ajusta o desenvolvimento do conhecimento adaptativo. Segundo Rappaport (1981), a função do desenvolvimento para Piaget não consiste em produzir cópias internalizadas da realidade externa, mas em produzir estruturas lógicas que permitam ao indivíduo atuar sobre o mundo de forma cada vez mais flexível e complexa.

Os projetos de trabalho também têm como objetivo dar instrumentos para o sujeito agir na sociedade a qual pertence, atuando de forma consciente, crítica e significativa, de acordo com estruturas pessoais ressignificadas, possibilitando a autoria de seus percursos formativos.

A criança, na visão piagetiana, é concebida como um ser dinâmico, que a todo momento interage com a realidade, operando ativamente com objetos e pessoas, o que propicia a construção de conhecimentos por ela ressignificados; diferentemente de uma apropriação por transmissão de outrem, é algo construído de acordo com suas estruturas internas, algo que faz sentido para o sujeito-aprendiz.

Eu, o outro e o grupo: o projeto coletivo

Da obra de Henri Wallon (1879-1962) é possível destacar uma contribuição fundamental à visão de projeto: a importância do papel do outro na constituição do eu, enfatizando a importância do grupo na construção da aprendizagem: "Somos geneticamente sociais" (1989), como afirmava o médico, psicólogo e filósofo francês.

Além dessa ideia central em seu pensamento, Wallon destacou a importância da formação integral da criança, apontando a complementaridade entre corpo, mente e emoções, que têm papel preponderante no desenvolvimento da pessoa, pois é por meio delas que a criança exterioriza seus desejos e vontades, posicionando-se diante do mundo.

O trabalho com projetos abre um espaço genuíno para uma cultura mais humanista, que considera as pessoas como um todo e valoriza as manifestações corporais entre as múltiplas linguagens, considerando-as como canais de expressão e comunicação da afetividade e do pensamento da criança.

Segundo Dantas (1990), Wallon considerava que "o indivíduo é social não como resultado de circunstâncias externas, mas em virtude de uma necessidade interna", o que justifica o trabalho coletivo proposto pela metodologia dos projetos.

No momento em que a pergunta de um membro do grupo, professor ou aluno, mobilizar interesses individuais, constela-se a possibilidade de uma investigação coletiva. O conceito de contágio proposto no pensamento walloniano mostra o poder de determinadas manifestações individuais no grupo, pois a sua repercussão pode propiciar a construção do tema de um projeto.

O professor-pesquisador na metodologia de projetos

A contribuição da obra de Lawrence Stenhouse (1926-1982) para a metodologia dos projetos também merece destaque, pois cabe a ele a visão de professor-pesquisador, alguém que investiga o próprio fazer como justificava em suas afirmações. Para ele, a técnica e os conhecimentos profissionais podem ser objeto de dúvida, isto é, de saber e, consequentemente, de pesquisa, atitude essencial ao educador compromissado com a metodologia de projetos.

Todo professor deve assumir seu lado "experimentador", tal e qual a criança que busca avidamente desvelar as características de um objeto que desconhece, transformando a sala de aula em um laboratório permanente ou em um ateliê de arte, como afirmava Stenhouse.

Para o educador inglês, todos deveriam ser capazes de criar o próprio currículo, em conformidade com a realidade e as necessidades de seu grupo de trabalho. Portanto, o educador seria autor de sua história, como na metodologia dos projetos, alguém que assume uma postura reflexiva, analisa a própria prática, busca adequações e qualifica-se profissionalmente.

Todo educador deve assumir a postura de aprendiz, o que identifica a atualidade do pensamento de Stenhouse, em especial no que se refere aos conceitos de autonomia, pesquisa e descoberta como fontes de qualificação da prática docente.

Merece ênfase, também, o olhar para o grupo em foco, a noção de coletivo no trabalho realizado, o que introduz o conceito de pesquisa-ação – metodologia utilizada em meus estudos e práticas que resultaram neste livro –, sobre formação de professores. De acordo com Stenhouse, "os professores que se destacam transformam o ensino na aventura da educação. Outros podem adestrar-nos!".

As contribuições de Malaguzzi

A obra pedagógica de Loris Malaguzzi complementa as ideias dos teóricos aqui citados e fundamenta essa visão de projeto. O pedagogo italiano atribuiu às cem linguagens da criança o caminho para a construção do conhecimento.

Afirma que o trabalho desenvolvido com as crianças, intitulado Pedagogia da Escuta, é uma abordagem, não uma metodologia, caracterizada pelo desenvolvimento de projetos focados na arte, na estética e na ética das relações humanas, além de uma vasta documentação que registra o percurso realizado.

Como humanista e simpatizante das ideias de Wallon e Piaget, Malaguzzi valoriza as relações interpessoais na construção da identidade do sujeito-aprendiz, e as linguagens expressivas como uma possibilidade de integração mente-corpo-emoções na exploração e na aprendizagem do objeto a ser conhecido.

Para ele, a documentação que os projetos requerem é uma estratégia que garante a visibilidade da aprendizagem e a sua socialização, não só para os envolvidos no processo, mas também como material de formação para os demais interessados e de divulgação das práticas vivenciadas pelo grupo.

> **O QUE É ABORDAGEM?**
>
> Malaguzzi considera uma abordagem, uma referência pela abertura que o termo oferece, contrapondo-se à metodologia, que prevê etapas-fases-estágios no decorrer do processo de aprendizagem. Abordagem se refere a possibilidades, versões, teorias provisórias, que podem ser experimentadas, significadas por adultos e crianças na construção do conhecimento e que estão sujeitas à ressignificação. ■

A arte, para Malaguzzi, é uma "ferramenta" para o pensamento, uma linguagem que entrelaça mente e mãos com alegria criativa e libertadora, por meio de uma aprendizagem real, tal e qual será discutida no capítulo "Redes formativas: a cultura do grupo", referente ao papel das redes do conhecimento na formação dos professores.

Arte e estética são fatores essenciais à maneira como o sujeito-aprendiz compreende e concebe o mundo a que pertence, não só a criança, mas também o adulto, canais de expressão e comunicação.

Para Malaguzzi, as relações pedagógicas devem estar pautadas nas interações estabelecidas entre sujeitos, cultura, objetos e espaços que configuram o processo educativo: crianças, professores, funcionários da instituição, pais, comunidade, conceitos e valores explorados de acordo com o interesse que move o grupo. Essas interações, baseadas em trocas afetivas e no fortalecimento de vínculos, são construídas em uma relação de confiança mútua e na crença de que a ação coletiva é um desafio a ser superado na contemporaneidade.

Conhecendo de perto o trabalho de Malaguzzi

Em uma viagem feita a Reggio Emilia em 2008 – norte da Itália, região da Emilia Romagna – para um curso no Centro Internacional Loris Malaguzzi e visitas às escolas da região, pude comprovar na prática a realização dos princípios da abordagem italiana para Educação Infantil e a abrangência dos projetos realizados. O trabalho que presenciei tem estreita relação com os que serão relatados neste livro, não só aqueles que envolvem crianças, mas também adultos em formação contínua. A abordagem italiana das escolas da infância e das creches, afetivamente chamadas de "ninhos", é um exemplo singular da Pedagogia das Relações.

Como expus, o projeto pedagógico de Malaguzzi mostra que as relações humanas, os projetos e a documentação são eixos centrais do trabalho realizado. O conceito de relação parte do pressuposto de que a escola, vista como um espaço de encontros entre sujeitos e cultura, deve proporcionar situações de convívio espontâneo entre todos que habitam o lugar – cozinheiros, cuidadores, atelieristas, coordenadores, pedagogos, famílias e todas as crianças, independentemente da faixa etária. O convívio cotidiano, o "estar-junto" no mesmo espaço, desenvolve no sujeito que o habita o sentimento de pertencimento e identidade com o contexto, do qual ele se sente parte integrante e se reconhece como protagonista do cenário criado. No decorrer do curso e nas visitas realizadas às escolas de Reggio Emilia foi possível perceber a importância da relação entre sujeito e ambiente cuidadosamente planejado, considerado como um elemento formador por excelência na Pedagogia da Infância.

> **PEDAGOGIA DA INFÂNCIA**
>
> Remete à abordagem de Malaguzzi, que considera a criança com infinitas possibilidades – as cem linguagens – para descobrir e se apropriar do mundo ao entrar em contato com adultos e outras crianças, compartilhando experiências. Difere de uma pedagogia feita por adultos para as crianças. Dessa forma, contribui para a consecução de um dos objetivos da formação docente: o fortalecimento da cultura de grupo. ■

A intervenção do adulto – baseada em um planejamento minucioso decorrente da observação constante da atitude das crianças, aliada a um amplo conhecimento cultural e à documentação detalhada do processo vivido dia a dia – oportuniza uma educação para a autonomia dos sujeitos envolvidos no processo. A proposta tem, como meta, o desenvolvimento da autonomia e a responsabilidade das escolhas, além da participação de toda a comunidade a partir das múltiplas possibilidades decorrentes das interações com seus parceiros e com os objetos de conhecimento.

Vale a pena destacar a proibição de fotografias e filmagens durante as visitas a creches e escolas. Isso provoca uma nova relação de aprendizagem nos educadores visitantes. Ao nos vermos desprovidos dos recursos digitais da modernidade para registrar impressões, os sentidos transformam-se em fonte de informações: ver, sentir, escutar, tocar, apalpar, provar alguns alimentos e sentir diferentes aromas.

Isso nos convida ainda a usar o corpo como memória de uma experiência vivenciada, tal e qual a criança, que tem o corpo como principal fonte de informações e conhecimento de mundo. Os sentidos registrados com palavras e desenhos reapresentam, no papel, experiências vivenciadas de relações significativas, possibilitando a ampliação da memória.

As relações estabelecidas entre adultos e crianças, e entre as próprias crianças, desvelam a concepção de criança como sujeito potente, capaz de agir, com direito de se expressar nas múltiplas linguagens, e de ser protagonista das situações do cotidiano. Alguém que desperta o interesse do adulto, que compartilha o encantamento em conhecer o mundo ao seu redor, capaz de se maravilhar com palavras, gestos e descobertas, momentos mágicos da infância. Dessa relação interativa desenvolve-se uma confiança mútua e um repertório comum, espaços de identidade dos sujeitos de um determinado contexto.

Um dos espaços de destaque nessas escolas é a cozinha, local onde crianças e pais têm livre acesso, devido à importância atribuída à alimentação saudável, à exploração dos sentidos e à construção de conhecimentos que a culinária proporciona.

Como nas palavras da coordenadora, que recebeu o grupo de educadores da América Latina na Escola Arcobaleno (2008), o cheiro contagia, o perfume embriaga, o paladar é estimulado, os olhos brilham diante de cestas de palha repletas de verduras, legumes e frutas, maços de espinafre e tangerinas disponíveis no ambiente, que as crianças pegam quando têm vontade. As jarras de chá espalhadas em mesinhas, nas quais as crianças se servem com desembaraço e total autonomia, comprovam na prática o papel educador que o ambiente exerce nessa estrutura.

Os vínculos afetivos decorrentes das relações significativas podem favorecer a construção de aprendizagens e conhecimentos, do próprio sujeito e do mundo a que a criança e o adulto pertencem. Esse processo se dá em diferentes dimensões: na constância da ação; na disponibilidade do adulto para observar, registrar e interagir com a criança; na sensibilidade da escuta de suas afirmações, perguntas e hipóteses iniciais acerca do entorno; no olhar atento e direto aos olhos da criança; na espera do tempo necessário para atender aos interesses da criança por determinado objeto; na organização da rotina estruturante da vida do grupo; na busca de intervenções adequadas para desafiar e criar novas situações de aprendizagem; na transparência do equilíbrio entre limites de segurança das regras preestabelecidas à vida em grupo e o que move cada criança em particular.

Nessa perspectiva interativa, as relações produzem transformações em todos os envolvidos no contexto. À medida que o adulto se disponibiliza e se apropria da postura descrita, há uma ressignificação de seu papel de educador. Na mesma proporção, a criança apreende os objetos de conhecimento, gerando novas aprendizagens, que integram e agregam novos valores humanos, possibilitando a ação em um novo patamar.

Quando a criança começa a frequentar uma creche ou uma escola de Educação Infantil, é fundamental que a relação amorosa desenvolvida com seus pais e cuidadores seja reconstruída, por meio de um processo de adaptação/acolhimento ao novo grupo, ao espaço e às pessoas com as quais irá conviver. Isso requer tempo e investimento do adulto para fortalecer vínculos de respeito, alegria e pertencimento.

À medida que as relações se fortalecem em um ambiente acolhedor, lúdico, alegre e prazeroso, que permita a circularidade de todos os seus integrantes, como ocorre nas escolas de Reggio Emilia, o diálogo tem a potencialidade de se estabelecer. Em seu transcurso, cada um expõe as próprias ideias e interage com as do outro, criando um espaço fluido de comunicação e expressão de relações mais estreitas, significativas e de novas aprendizagens.

O conceito de relação também abrange o de transparência, tanto do espaço habitado pelos sujeitos da ação quanto dos diálogos estabelecidos. Todas as escolas de Reggio Emilia têm amplos espaços abertos, muitas paredes de vidro, para que todos possam se ver no dia a dia e circular conforme seus interesses, um convite à participação.

A abordagem italiana para a Educação Infantil apresenta-se como uma pedagogia de relações humanas capaz de produzir uma educação de qualidade para as crianças e um currículo diferenciado na Educação Infantil. Nela, os vínculos afetivos desenvolvem-se a partir da escuta e do diálogo, potencializando a construção de novos conhecimentos, a ressignificação do convívio em grupo, o trabalho com projetos interdisciplinares, o exercício da arte, da ética, da estética e o uso das múltiplas linguagens expressivas, como uma concepção de aprendizagem e de integração do ser humano.

Como desenvolver os projetos

O trabalho com projetos parte de um incômodo inicial do educador de "não saber" qual o percurso a ser delineado com o seu grupo de crianças no início de cada ano, enquanto não se define o tema de interesse ou os conceitos norteadores das propostas de trabalho. Esta definição demanda tempo, muita observação, registros minuciosos do cotidiano, que relatem palavras e ações das crianças que possam dar "pistas" de interesses que se mantêm.

Para aprender é preciso ressignificar o mundo, nas palavras de Piaget (1977) e, para tal, o sujeito-aprendiz deve fazer uma leitura com as próprias palavras. Paulo Freire (1996) completa: o trabalho com projetos transforma-se em uma postura investigativa de aprendizagem e atribuição de sentido ao mundo que cerca os envolvidos no processo; isso ocorre por meio de múltiplas linguagens expressivas de comunicação, tais como: música, arte, literatura, corpo-movimento, brincar, tempos e espaços da infância, sonhos, ações que viabilizam a apropriação cultural do sujeito que vive em sociedade com seus pares.

Aos poucos, o uso dos instrumentos metodológicos expostos no capítulo anterior – observação, registro, planejamento, reflexão e avaliação – alia-se à intervenção de um parceiro próximo, quer seja outro professor, o diretor ou o coordenador pedagógico, ou uma determinada situação-problema, ou um conteúdo recorrente – e, então, começa a se configurar e nasce o tema de um projeto.

É preciso a avaliação de sua pertinência em relação aos conteúdos propostos à faixa etária no projeto pedagógico institucional e às possíveis integrações aos campos de experiência (Base Nacional Comum Curricular, 2018) com possibilidades de experiências nos mais diferentes âmbitos, e às diversas linguagens expressivas. Caso contrário, poderia haver a falta de foco explícito e um empobrecimento do trabalho, pautado apenas em fragmentos de interesses que não seriam suficientes para sustentar um projeto.

A partir do momento em que o tema é definido e a sua adequação validada, é necessário garantir condições essenciais e estimulantes à construção da consciência do grupo sobre a pertinência da proposta e das aprendizagens decorrentes. A etapa seguinte gira em torno da criação de um nome para o projeto, o que eu costumo chamar de "batismo", fruto de muita negociação e conversa entre seus participantes. Há votações, sugestões, enfim, uma busca democrática por um consenso, transformando essa fase em um exercício de cidadania ao se vivenciar negociações significativas. Como exemplo, alguns nomes de projetos realizados: "Mar de sentidos", "Piscototo, um avião" e "Bola mágica".

Definido o tema e criado um nome para o projeto, o educador deve começar a levantar os conhecimentos prévios do grupo sobre o assunto para planejar suas intervenções:

- O que cada um sabe sobre a questão?
- O que gostaria de saber?
- O que poderia saber?
- Como atuar na zona de desenvolvimento proximal de cada um?
- O que está nas entrelinhas?

A investigação ativa sobre as questões destacadas pode acontecer por meio de conversas, desenhos das crianças, pesquisas, vivências com materiais relacionados... diferentes possibilidades para coletar dados e ir além do que o grupo já sabe.

> **ZONA DE DESENVOLVIMENTO PROXIMAL (ZDP)**
>
> Segundo Vygotsky, esse é um espaço ótimo de aprendizagem, no qual tanto o educador quanto os colegas mais experientes contribuem para futuras aprendizagens, como uma zona embrionária que, momentaneamente, requer auxílio externo e poderá ser apropriada pelo sujeito "aprendente", à medida que se exercita em relação a conteúdos atitudinais, procedimentais e conceituais (COLL, 1998). ∎

O projeto, considerado um "vir a ser", um recorte que o educador faz sobre um tema em foco, segue o seu percurso em um processo dinâmico que requer registros diários como forma de planejamento do passo seguinte, avaliação sobre a escolha feita, ajustes e busca de "nutrição" para a ampliação da proposta inicial, tais como: livros, contadores de histórias, obras de arte, visitas que oportunizem o contato com o que se estuda, e outros procedimentos, como passo a passo. O conhecimento é recriado, coletiva e individualmente, instigando a curiosidade, estimulando a imaginação, a verbalização de hipóteses e a ampliação do repertório de atuação no mundo, transformando o que inicialmente era ordinário, comum, em uma pesquisa extraordinária, de encantamento e de muitas descobertas. Como dizia Louis Malaguzzi em seus discursos, "transformar o ordinário em extraordinário" move aprendizagens significativas e únicas.

A eficácia de um projeto se traduz no enriquecimento da postura consciente do aprendiz "ser-estar-fazer-saber-conviver" no mundo, atitude referendada no Relatório Delors, citado anteriormente, construindo uma relação de interdependência, na qual possa se sentir atuante e com autonomia responsável, vinculando-se a espaços diversos de produção de informação e fenômenos significativos dentro do contexto cultural a que pertence.

Os encaminhamentos pertinentes de ações e procedimentos, ora sugerido pelo grupo, ora pelo educador, devem ser registrados em todas as etapas para a memória da trajetória percorrida, com imagens, desenhos, palavras das crianças, fotos, textos narrativos, músicas, enfim, explorando as múltiplas linguagens contempladas no processo sintetizadas na documentação pedagógica.

Além do uso dos instrumentos metodológicos citados, é fundamental a reflexão com os demais educadores, tanto informalmente, no dia a dia, como formalmente em reuniões pedagógicas ou com assessores especialistas nas áreas envolvidas. A reflexão também deve propiciar a busca de referencial teórico não só das informações a serem trabalhadas, mas também dos teóricos que possam ser associados às questões emergentes do grupo, viabilizando o que Schön (2001) chamou de reflexão sobre a reflexão – uma relação teoria e prática resultante de um "currículo vivo" em ação, conforme ilustrado no esquema do início deste capítulo.

O trabalho com projetos deve contemplar parcerias significativas entre as famílias do grupo de crianças e a escola, pois múltiplas mãos vão se unir para escrever a história, que é coletiva. Esta nova forma de organizar o conhecimento escolar agrega sujeitos em torno de um objetivo em comum, o tema do projeto e as questões que o mobilizam, que valoriza todas as contribuições do grupo e respeita a diversidade, principalmente ao atuar na zona de desenvolvimento proximal de cada um. Cada indivíduo aprende a aprender a seu tempo e a seu modo, tanto educadores quanto educandos e suas famílias, criando uma comunidade "aprendente": um grupo que se abre e vivencia novas experiências.

A última etapa do trabalho com projetos deve ser a elaboração final dos portfólios, que reúne as etapas significativas do processo e materializa as aprendizagens significativas do grupo. Além de portfólios, uma exposição, painel, maquete, livros das crianças também são considerados como produto final produzido pelo grupo, que socializam as aprendizagens construídas.

REGISTRO EM PORTFÓLIOS

> *[...] para escrever não importa o quê, o meu material básico é a palavra. Assim é que esta história será feita de palavras que se agrupam em frases e destas se evola um sentido secreto que ultrapassa palavras e frases.*
>
> Clarice Lispector

Os registros em portfólios são registros reflexivos considerados como espaços da memória, documentação da própria prática, caminhos de reflexão, fonte de planejamento da continuidade dos projetos desenvolvidos em cada grupo, marcas da identidade de um educador comprometido com a qualidade de seu trabalho.

Mas... o que é um portfólio?

Portfólio é um instrumento do professor para documentação e avaliação do trabalho realizado no decorrer de um determinado período, como um ano escolar. Há algumas designações diferenciadas para nomeá-lo, como "porta-fólio" ou "portfolio" (sem acento).

"Portfólio", de acordo com a grafia que é utilizada neste livro, pode ser definido como um instrumento de construção de conhecimentos no processo de ensino-aprendizagem – uma ferramenta do professor, que complementa a metodologia de formação abordada.

É uma forma de trabalho que, da mesma maneira que os projetos e as redes, está referendada no coletivo, na reunião de sujeitos que compartilham informações e aprendizagens em uma cultura específica: a da Educação Infantil.

É um álbum, uma pasta, um caderno, um arquivo, que pode ser escrito, fotografado, filmado, gravado, documentando o percurso de um processo na sua totalidade: o trabalho realizado durante o ano escolar, um projeto destinado a um fim específico, o trabalho com projetos, determinada pesquisa sobre um tema escolhido pelo professor... todos esses registros podem compor o portfólio. Na Educação Infantil há um leque de possibilidades para organizar o material coletado, que pode variar conforme a proposta e a intenção do professor.

A origem do trabalho com portfólios

Historicamente, o trabalho com portfólios remete a Freinet, que difundiu a importância do testemunho cotidiano das atividades vivenciadas pelo grupo, documentadas em um grande álbum/caderno exposto na entrada da sala de aula.

Para o pedagogo francês, a relação entre a escola e a vida era de fundamental valor: o registro de sentimentos, impressões, experiências vividas no grupo, em sintonia com as atividades realizadas na comunidade. O "livro da vida", como chamava o álbum, que registrava, tanto pelo professor quanto pelas crianças, as marcas deixadas pelo trabalho realizado: impressões, sentimentos, conquistas, desafios, descobertas...

O livro da vida freiniano era uma forma primária de registro da livre expressão dos componentes do grupo, composto por conquistas e descobertas coletivas e por contribuições pessoais, numa dimensão interativa do trabalho realizado, em parceria com a comunidade. Um dos aspectos contemplados no livro era o "painel das manifestações", organizado por títulos como "eu sugiro", "eu critico", "eu felicito".

Da mesma forma, os portfólios devem abranger os conteúdos das práticas pedagógicas e dos sujeitos que fazem parte dessa história. É um documento da "vida" do grupo, redigido, ilustrado, organizado por um responsável pelo grupo – no caso específico da Educação Infantil, o professor, responsável pela coordenação do trabalho realizado –, ou por uma criança do grupo, o que possibilita a identificação e a emergência do sentimento de pertencimento de cada um ao grupo como um todo, em parceria com o coordenador.

Tipos de portfólios

Há dois tipos de portfólios: o do professor, que é, simultaneamente, pessoal e coletivo, e o de cada criança, que representa a memória do ano que ela viveu com seu grupo. No caso da Educação Infantil, é uma elaboração do professor a partir dos materiais produzidos pelo grupo e de cada criança em particular. É, também, um material de comunicação entre a escola e a família que, diante da visibilidade das informações contidas no álbum, se apropria e participa do trabalho realizado com seus filhos.

Os portfólios remetem à ideia de coleção, de reunião, de agrupamento, de conjunto, de algo que é construído de acordo com critérios preestabelecidos e selecionados pelo protagonista da ação: o professor, a partir da leitura dos interesses das crianças com as quais compartilha decisões.

As coleções são formas genuínas do sujeito "reunir" (unir novamente), agrupar, reapresentar objetos, textos, informações, trechos de leituras realizadas em busca de respaldo teórico às suas dúvidas e curiosidades, documentos significativos à reconstituição do processo de aprendizagem, anotações e registros das experiências cotidianas, de tal forma que fiquem evidentes os passos dados e o produto elaborado em função dos momentos de aprendizagem.

O portfólio do professor é uma ferramenta de trabalho, um diário de aprendizagem, no qual os registros de dúvidas, conquistas e atividades são feitos constantemente, acompanhados de amostras de trabalhos. É uma estratégia pedagógica que leva à descoberta de novos conhecimentos, tanto para o seu autor quanto para seus leitores, como o coordenador pedagógico ou o professor auxiliar do grupo.

Os portfólios das crianças são feitos por adultos quando elas são bem pequenas, a fim de reconstituir o percurso formativo de cada uma delas, suas conquistas e experimentos realizados na tentativa de construção de novos conhecimentos. As crianças procuram em seus portfólios a reconstituição da própria história escolar, como uma memória viva do percurso. À medida que as crianças vão se apropriando da construção dos portfólios, cada vez mais devem ser convidadas a participar da sua elaboração, empenhando-se no registro de suas aprendizagens. Nas séries iniciais do Ensino Fundamental I apropriam-se e usam espontaneamente essa ferramenta de trabalho. O uso do portfólio pelas crianças favorece o sentimento de prazer e alegria ao rever fotos, desenhos que elaboraram, fotocópias de capas de livros de histórias que foram lidas para ela, fôlderes de visitas extraescolares que o grupo fez para alimentar os projetos, entre outros registros – fragmentos que lhes dão dados/pistas para recuperar fatos que, ao serem ressignificados, transformam-se em novas aprendizagens.

A montagem do portfólio

O trabalho com portfólios caminha em sintonia com a concepção construtivista de educação, pois o conhecimento é tecido no sentido que o sujeito atribui à interação com objetos e pessoas, e a sua construção se efetiva por meio de experiências vividas por ele, as quais refletem, ou não, a realidade na sua perspectiva de mundo e da relação que estabelece entre fazeres e saberes pedagógicos. O portfólio é um meio, não um fim em si mesmo, facilitador de interações e relações formativas, constituído por sujeitos de um determinado grupo.

Cabe ao professor escolher o fio condutor da elaboração de seu portfólio de estudo, de tal forma que retrate para o leitor (coordenador, demais professores, pais e crianças) o percurso de construção de conhecimentos do seu grupo, identificando etapas essenciais à composição do processo: um "memorial" do projeto realizado.

A abrangência do registro em portfólios é de tal grandeza que, segundo Gardner (1995), a nomeação mais adequada do instrumento é "processo-fólio", diante das possibilidades de conexão com outras situações vividas anteriormente, ou imaginadas, tanto na escola quanto fora dela. Os portfólios são construídos ao longo do projeto, tanto como registro do que foi vivido pelo grupo quanto apontando caminhos a serem explorados de acordo com os interesses emergentes das crianças.

As escolhas indicam as prioridades estabelecidas pelo professor durante o projeto e, também, os recortes selecionados para documentá-lo e socializá-lo no portfólio, o que varia de acordo com o olhar de cada professor, seus objetivos e concepção de criança e de mundo. Ele pode focar as suas escolhas tomando o grupo como um todo ou selecionar algumas crianças em particular; concentrar-se na sua atuação ou, ainda, nas tarefas propostas.

Na montagem de um portfólio há uma conexão entre o que é coletivo (produto do grupo) e o que é individual (do professor e de cada membro de seu grupo) por meio da seleção de materiais/textos/palavras/imagens para ilustrá-lo, caracterizando-o como fruto de relações interativas de produção de conhecimentos compartilhados.

A opção do professor na elaboração de seu portfólio oferece à coordenação fontes significativas de observação e análise reflexiva do "ser-saber-fazer" do educador, pois aponta indícios, sinaliza como o sujeito concebe a própria prática pedagógica, faz suas escolhas, e quais os possíveis caminhos para modificar as intervenções de pouco sucesso. Ao manusear o material é possível intermediar um diálogo a partir da ação documentada que, devidamente questionada pelo leitor, pode provocar a tomada de consciência da falta de clareza de *habitus* adquiridos e reproduzidos mecanicamente no cotidiano, fazendo emergir a necessidade de mudanças ou de aprofundamento do porquê de determinadas ações.

Os portfólios representam, também, uma forma genuína de organização que o professor faz do material a ser arquivado/colecionado, não só em relação aos conteúdos que irão compor o álbum, mas também no modo como serão dispostos, compondo um diálogo estético entre forma, conteúdos conceituais, recursos materiais, distribuição espacial, uso de imagens e outros aspectos ligados à sua composição. É interessante notar que o termo "portfólio" vem da área da Arte – "dossiê" com amostras de produções artísticas; *book* de um designer; pasta do artesão –, o que justifica seu uso associado ao processo de criação do sujeito-professor ao narrar a trajetória de seu grupo.

Além disso, o trabalho com portfólio é uma forma de avaliação inicial ou diagnóstica, e também a avaliação contínua e processual do trabalho realizado com as crianças, por meio do qual se pode verificar e problematizar hipóteses sobre as ações docentes nas mais variadas situações, convertendo-se em um instrumento de formação de professores em reuniões pedagógicas. O álbum pode ser usado como um pretexto para questionamento e conscientização de fazeres dos professores, ressignificando saberes pedagógicos do grupo como um todo.

Há "receitas" para a sua construção? Há um percurso de elaboração que acompanha a trajetória do professor? Para quem ele se destina? Memória, documento ou espaço de socialização e reflexão sobre a própria prática? Como torná-lo um espaço de busca individual e de grupo?

Os portfólios não devem ser formatados *a priori*, com prescrições da instituição ou da coordenação pedagógica quanto à maneira de serem feitos. Isso é válido tanto para o portfólio do professor quanto para o das crianças, pois perderiam a sua identidade e se tornariam reproduções de ordens dadas, esvaindo a oportunidade de sua confecção transformar-se em uma situação de aprendizagem significativa.

A construção de um portfólio desvela o modo como o professor aprende a aprender; o que ele conhece sobre o seu grupo, o que gostaria de conhecer; seus desejos, preferências e faltas; a opção que faz em seus registros, o que prioriza em sua rotina diária; as parcerias que estabeleceu com os teóricos e com os demais professores; a reflexão que faz, ou não, sobre suas práticas pedagógicas; e, principalmente, qual o foco de seu olhar: as tarefas propostas, a construção da rotina de trabalho, a participação e o interesse do grupo como um todo ou em um caso em especial; indica se ele integra e conecta todos os elementos da relação pedagógica, contextualizando-os; a maneira como lida com conflitos emergentes no cotidiano escolar.

Ao narrar a história pessoal e coletiva, o professor se compromete com o que registra e com o enigma da criação de um memorial, com a arte da estética e a responsabilidade dos significados de cada palavra. Segundo Nélida Piñon:

> [...] escrever alarga o sentido da vida [...] e que, ao criar à revelia certas metáforas, percebe-se que, entre uma história e outra, cria-se uma vasta relação com o mundo e os seres [...] sei que a escritura é a residência secreta do escritor na terra [...] que vive e morre em meio às palavras [...] e sob esse mito, aloja-se a sua estética, assim como a consciência da arte [...] além de compatibilizar as narrativas históricas com a própria arte de contar. (2008, p. 23-4)

Portanto, criador e criatura, professor, sujeitos de seu grupo e as tarefas realizadas fundem-se em um contexto formador, dialógico, "aprendente" e "ensinante".

Portfólios como registro de projetos

No caso do portfólio como registro de projeto, por ser um álbum concreto, um memorial do grupo, possibilita sucessivas idas e vindas a seus conteúdos conceituais e aprendizagens. É uma fonte de consulta, que viabiliza ajustes nos planejamentos subsequentes a partir das reflexões deflagradas e a visão da totalidade do trabalho: como o projeto começou, as etapas principais, as contribuições que nutriram a discussão, as aprendizagens vividas, o produto final. Portanto, um espaço de relação entre registrar, planejar e construir intervenções oportunas, etapas interdependentes do processo pedagógico.

Em meu cotidiano como coordenadora pedagógica, à medida que o trabalho com portfólios se constituía como uma poderosa ferramenta para a formação de professores, um elemento constituinte da cultura do grupo, percebi, como formadora e pesquisadora, que questões individuais permeavam a trajetória de cada professora. Foi então que iniciei o projeto de construção da pergunta "existencial" de cada professor. Pergunta que refletisse sua pesquisa, sua busca pessoal, e que será relatada no próximo tópico.

Os portfólios, além da documentação dos projetos, representam um instrumento de comunicação de ideias, valores, crenças, fazeres e saberes dos professores. Constituem um olhar ético e estético do professor sobre a própria prática pedagógica, registrando a síntese do projeto desenvolvido com as crianças e as aprendizagens construídas.

As palavras escolhidas pelo professor para narrar a sua trajetória, as imagens por ele selecionadas, as preferências por citações de teóricos que respaldam a ação, a organização por ele feita do material arquivado, as opções de recorte das atividades desenvolvidas a serem relatadas dão a esse instrumento metodológico intitulado "portfólio" o potencial transformador da prática pedagógica docente. A ferramenta destaca-se por seu valor como acompanhamento e avaliação formativa do projeto realizado, como planejamento da sequência de trabalho, registro e documentação de conquistas e aprendizagens.

Os portfólios favorecem a autorreflexão e a autonomia do professor, metas da proposta construtivista, uma das referências teóricas norteadoras do processo de formação de professores aqui abordado: o desenvolvimento da capacidade de autogovernar-se almejada por Piaget. Como nas palavras de Hernández:

> [...] O portfólio estimula o pensamento reflexivo, oportuniza a documentação, o registro e a estrutu-

ra, os procedimentos e a própria aprendizagem [...] estimula o processo de enriquecimento conceitual, fundamenta os processos de reflexão para a ação, garante mecanismos de aprofundamento conceitual continuado, estimula a criatividade e a originalidade, garante o desenvolvimento da identidade e facilita a aprendizagem [...]. (1998, p. 47)

Do arquivo inicial à seleção reflexiva do material coletado há um percurso formativo que integra passado-presente-futuro na construção da autoria e de aprendizagens significativas para o professor e seu grupo.

O portfólio, visto como um instrumento de avaliação, planejamento, reflexão e registro da ação do professor e das crianças, permite a visualização da dimensão do todo que abrange um processo de formação, contemplando a integralidade do desenvolvimento humano em todas as suas dimensões. Como nas palavras de Coll et al. (1996): "[...] não será exagero afirmar que o currículo, a instrução e a avaliação que são feitos pelo professor se interceptam no portfólio".

As vivências experienciadas com sentido deixam marcas significativas nas matrizes da docência e na pessoa do professor: possibilidades de mudanças por meio de aprendizagens significativas. De acordo com as palavras de Miguel Zabalza,

> o próprio fato de escrever", de escrever sobre a própria prática, "leva o professor a aprender através da sua narração. Ao narrar a sua experiência recente, o professor não só a constrói linguisticamente, como também a reconstrói ao nível do discurso prático e da atividade profissional [...]. Quer dizer, a narração constitui-se em reflexão. (1994)

Para fechar nossa reflexão, apresento a seguir alguns dos registros do portfólio pessoal desenvolvido pela professora CHS, organizados tematicamente:

> **A MEMÓRIA DE UM GRUPO DE 16 CRIANÇAS COM TRÊS ANOS DE IDADE (2007)**
>
> **Adaptação do grupo no início do ano**
> É no período de adaptação, quando as crianças estão iniciando o ano escolar, que começam a se estabelecer vínculos entre todos os membros desse novo grupo: funcionários, professores, crianças e pais. Nesse processo, a participação das "antigas" professoras, associada à ambientação já existente pelo espaço previamente conhecido por todos, favorece, e muito, os primeiros contatos e, assim, as relações entre eles se iniciam e, gradativamente, vão se tornando cada vez mais estreitas e sólidas. Para isso, muitas atividades e materiais são oferecidos, além de assuntos propostos e abordados, a fim de que as crianças tenham a possibilidade de se expressar, de se manifestar, e, ao mesmo tempo, de demonstrar qual é o interesse geral da classe, o que nos levará à definição do tema do projeto a ser desenvolvido com o grupo. Dentre as várias atividades propostas, a da leitura de histórias foi uma das mais solicitadas pelas crianças. Os livros apresentados inicialmente foram: *Tico e os lobos maus*; *Ariel*; livro em inglês sobre fundo do mar: *Commotion in the ocean*...
>
> A brincadeira do trem também as atraía bastante, especialmente porque, aproveitando para inserir alguns conteúdos da matemática, fui gradativamente complementando-a com "curvas malucas", "retas certinhas e compridas ou curtas". Além disso, o deslocamento do grupo se tornou cada vez mais organizado e "unido", já que, passado o período de adaptação à brincadeira/rotina, todas as crianças passaram a formá-lo, até mesmo as mais reservadas.
>
> **A leitura de interesses, desejos, necessidades do grupo**
> A enorme vontade demonstrada pela maioria delas por "puxar" o trem nos levou a uma ideia: a de sortearmos diariamente um ajudante para que ele pudesse me auxiliar nas tarefas do dia, inclu-

sive para conduzir o trem. Assim, foram ao ateliê onde pintaram tiras de papel A3 (cada um escolheu sua cor dentre as primárias oferecidas: azul, vermelho e amarelo). Nelas foram, posteriormente, colados os nomes das crianças. Para guardá-las, pintaram uma caixa pequena de papelão. No mesmo dia, também pintaram a "cesta dos materiais (trazidos) de casa" e um cesto de lixo para que todos pudessem cuidar melhor da limpeza da calçada da nossa escola. Posteriormente, o ajudante do dia passou a escolher a música cantada na dança da roda e sua representação simbólica passou a ser exposta ao lado do nome (tabela).

Nas aulas de culinária, bastante envolventes para as crianças (já que, após a primeira proposta feita, aguardavam ansiosas a chegada da próxima aula), começaram preparando e manipulando o macarrão, alimento que a maioria gosta. Essas aulas possibilitam também abordar conteúdos de matemática, como noções de espaço (dentro/fora), quantidades, e atividades manuais com colagens, desenhos e outras propostas feitas.

A preocupação com a construção da rotina: fonte de segurança, regras de organização da vida coletiva e dos símbolos orientadores do grupo

Na mesma época, iniciamos a confecção dos cartazes dos "combinados" da nossa classe – regras definidas pelas próprias crianças para orientar a conduta de todos do grupo. Os assuntos/temas descritos nos cartazes foram levantados e discutidos pelo grupo, em conjunto, tornando assim cada item bastante significativo para as crianças. Nessa primeira etapa, mencionaram apenas o que achavam "LEGAL": cuidar dos livros; cuidar dos amigos; cuidar dos brinquedos; cuidar dos irmãos; cuidar da classe; cuidar da roupa.

Ainda dentro da construção da rotina, as crianças, nesta etapa do ano, pintaram quatro objetos que foram amplamente utilizados em sala de aula ou no espaço escolar:
- caixa para guardar faixas com os nomes dos "ajudantes";
- cesta de materiais trazidos de casa pelas crianças;
- caixa para guardar os aventais do ateliê;
- cesta de lixo que posteriormente foi pendurada na árvore em frente à porta da escola.

No mesmo período, montamos os cartazes da rotina, ou

seja, após eu ter repassado todos os símbolos desenhados na lousa, para representar a rotina, em pedaços de papel, construímos pequenos cartazes onde a imagem do símbolo e a palavra que o definia na rotina foram agrupados.

Depois de prontos, eles eram colocados diariamente na lousa, com ou sem a ajuda das crianças. Aos poucos, depois de se apropriarem da rotina, passei a colocá-los antes mesmo delas chegarem à escola ou, em outras situações, a sequência a ser seguida era descrita oralmente durante a conversa na roda.

O início de um projeto: a leitura dos interesses do grupo por um tema

A constante solicitação do grupo para que se contasse a história do fundo do mar, o interesse pelos animais que lá moram, além do enorme envolvimento demonstrado pelas brincadeiras propostas sobre o tema, nos levaram à descoberta e à definição do tema do projeto da classe, intitulado: "Nosso fundo do mar". A vivência de diversas situações, a possibilidade de enfrentar medos, de experimentar diferentes emoções, sensações e de criar novos instrumentos para serem inseridos nas brincadeiras tornaram as experiências ainda mais valiosas. Como se sabe, a brincadeira, especialmente nesta fase do desenvolvimento da criança, é um rico canal de exploração do espaço, de experimentação dos comportamentos e de vivência das várias situações do cotidiano. Enfim, um valioso canal de expressão, de linguagem, de comunicação da criança. Por isso, brincamos incessantes vezes de "barco", de "tubarão" etc., com ou sem música, sempre buscando ampliar os desafios e as informações dadas para que pudessem construir, por meio de vivências, novos aprendizados. A questão do grupo também foi trabalhada nas diferentes dinâmicas de trocas de papéis nas brincadeiras. Diferentes músicas também foram muito tocadas e o grupo introduziu-as nas "dramatizações" das várias brincadeiras, inclusive conferindo a elas nomes e atribuições como a "música do tubarão", a do "fundo do mar" e a "do baile da Ariel". Para completarmos ainda mais as brincadeiras, resolvemos construir animais do fundo do mar com massa de jornal. As crianças ajudaram a picar o papel, o molharam, misturaram a cola, moldaram e, para finalizar, pintaram as peças, cada um a sua, com tinta guache e cola.

O trabalho corporal como fonte de conhecimento de mundo

Por acreditar que a utilização do corpo, principalmente das mãos, na confecção dos materiais e também que a proposta de trabalhos coletivos favorece, de forma prazerosa, espontânea e lúdica, a construção do grupo, incentivei e sugeri quase que diariamente este tipo de atividade. Tanto dentro do ateliê, quanto fora dele, foi dado espaço para a linguagem corporal e as relações entre os membros do grupo foram intensamente estimuladas. Os dedos das mãos, por exemplo, se transformaram em "pincéis mágicos" e, com eles, as crianças criaram verdadeiras "obras de arte". Em outros casos, o "pincel mágico" se tornou ainda maior, mais volumoso, e, assim, as mãos foram usadas como instrumento de criação. Igualmente, foram sugeridas atividades corporais no sentido de perceber as suas partes, o espaço que ocupam e as várias sensações que podem sentir, além dos movimentos que podem realizar. Para isso, foram oferecidos diferentes materiais e estilos musicais, sempre contextualizados dentro das brincadeiras propostas. Toda essa exploração foi amplamente estimulada, buscando assim aumentar o repertório de vivências das crianças, o que lhes deu mais recursos para a compreensão do seu próprio corpo, de suas possibilidades e do ambiente em que vivem.

A atenção à faixa etária

[...] com o intuito de fazer com que as crianças percebessem e explorassem de forma mais concreta e "consciente" as diferentes cores, iniciei os trabalhos oferecendo apenas três delas: azul, vermelho e amarelo (as cores primárias). Num primeiro momento, utilizaram, de acordo com a escolha pessoal, apenas uma delas; aos poucos, dentro da proposta de trabalho e da necessidade de descoberta de novas cores, introduzi o branco e o preto, que nos possibilitou encontrar tonalidades diferentes. Vale mencionar que todas as cores solicitadas pelas crianças passaram a ser derivadas, encontradas a partir das que tínhamos disponíveis, e, para isso, foram necessárias várias experiências conjuntas, excelentes momentos de troca, tentativas e novas descobertas, enfim, momentos ricos e emocionantes. Essas conquistas, naturalmente apropriadas pelas crianças, passaram a fazer parte do novo repertório de informações de cada indivíduo do grupo e a colaboração entre eles para novas conquistas passou a ser um gesto natural e espontâneo.

A construção do grupo e o respeito às individualidades
As imagens de roda também possibilitam muitas discussões sobre as relações dentro do grupo. Desde a observação dos indivíduos que fazem parte da figura apresentada, da percepção de suas diferenças e semelhanças, até a expressão de suas impressões a respeito do que é analisado, tudo é interiorizado, ao modo de cada um, o que com certeza se refletirá nas suas atitudes e maneira de perceber não só a si mesmo, como a sua relação com o outro e os demais. O mais gratificante é, já na primeira conversa sobre o assunto, ouvir de uma criança: "Cada um é de um jeito e tem seu jeito!". Pronto, a proposta já valeu!

Baseados nas observações feitas sobre a imagem de roda apresentada ao grupo, decidimos criar a nossa própria roda, mas dentro do tema trabalhado, ou seja, o fundo do mar. Portanto, as crianças iniciaram a pintura de círculos usados para representar as pérolas, conchinhas para representar suas casas e uma roda de círculos para representar nosso encontro diário na escola. Cada item trabalhado foi pintado de uma forma diferente: cotonete com tinta guache para as pérolas, canetinha para as conchas e rolinho com água e corante para o painel coletivo. O mais interessante é que desde o início do ano até o momento todas as decisões a serem tomadas pelo grupo são feitas por votação. A intenção de utilizá-la nas escolhas coletivas não é a de ensinar o que é ou como é uma votação, mas sim fazer com que percebam e compreendam como funciona quando as decisões dependem de outras pessoas. Aceitam com mais naturalidade as decisões contrárias às suas, começam a aprender a dividir o "poder de ação", a respeitar a vontade do outro, a esperar que as suas possam ser aplicadas. A votação continuará a ser utilizada para a tomada de decisões em grupo até o fim do ano.

A integração das áreas... o olhar interdisciplinar, que une
O tema do projeto "Nosso fundo do mar" também foi aproveitado para trabalharmos conteúdos de matemática. Foi possível

propor exercícios de continuação de sequências, a cópia delas, e em brincadeiras como a da "construção da moreia", ou a do "trem das conchas". Na quinzena do projeto da professora, a cor azul foi utilizada na pintura do cartaz da criança, onde foram registradas suas preferências. Música: como uma criança ficou bastante indecisa quanto à escolha de uma música, sugerimos fazer uma votação e ela aceitou. Dessa forma, a música intitulada pelo grupo como a "do tubarão" venceu e com ela desenvolvemos muitos trabalhos.

O aproveitamento de situações emergentes a favor da construção de novos conhecimentos pelas crianças
A partida de Julie para o Japão, associada ao prazer musical demonstrado pelo grupo, me levaram a pesquisar um pouco sobre músicas de ninar daquele país. Assim, no momento em que estivessem relaxando, perto do momento da saída, poderiam não só conhecer e ampliar seu repertório musical, como também entrar em contato com o som de uma nova língua, possibilitando que se aproximassem um pouco mais da cultura do país de destino da amiga, "diminuindo a distância (*sic*) entre eles".

A lida com o inusitado e a flexibilidade do planejamento
Como outra criança esteve doente e se ausentou por um certo tempo, decidimos ampliar nosso trabalho, construindo o nosso fundo do mar. Durante as exposições orais feitas sobre o peixe-palhaço, mostrei-lhes uma página dupla onde havia a representação do fundo do mar em três níveis:
- a parte "alta" do mar, onde está a superfície;
- o "meio do mar", onde o tom de azul é mais intenso; e, por último,
- o "fundão" do mar, onde a tonalidade de azul quase chega ao preto, tamanha a escuridão.

O encantamento foi tanto, que me pediram, várias vezes, para que o mostrasse novamente. Depois de muita observação, decidimos construí-lo para que pudéssemos ter o nosso, na nossa classe, com os nossos animais. Montei, então, um enorme painel na parede do pátio e, no centro dele, havia quatro folhas de papel A3 (o céu, a parte azul-clara da superfície, a azul normal do meio do mar, e a última, quase preta, onde era o fundão!). As próprias crianças prepararam suas tonalidades de azul de acordo com suas vontades e pintaram o painel. Depois de seco, ele foi plastificado e, a cada chefão trabalhado, colamos nele, com velcro, o animal ou coisa do mar que foi escolhida pelo protagonista da quinzena.

O planejamento do projeto: um "vir a ser" cotidiano e coletivo
Resolvemos montar um envelopão para guardar todas as lições dentro. Então, pintamos um pedaço grande de papel *Kraft*, mas ao percebermos que seu tamanho era exagerado para o que queríamos, deixamos a pintura para ser usada como cenário em nossas brincadeiras coletivas e decidimos que pintaríamos uma caixa de papelão forrada de *Kraft*; com isso, cada criança ocupou um espaço da caixa encontrada na sucata. A maioria delas quis fazer um desenho sobre os animais do fundo do mar, tornando o trabalho ainda mais rico, já que o que foi desenhado diz respeito ao tema do trabalho desenvolvido com o grupo. Definimos algumas regras para o sorteio do chefão, mas a principal delas é: sempre será o chefão anterior quem deverá sortear o próximo, e para isso seguimos um ritual. O chefão deve dar duas voltas ao redor dos envelopes que estarão virados para baixo, deverá parar no local de onde partiu e, aí sim, retirar um envelope do chão. Como neste caso seria a primeira vez, pedimos a ajuda de uma servente da escola, que nos ajudou na utilização do banheiro e troca de roupas.

Logo após o sorteio, sentado ao meu lado, um menino, a seu modo, respondeu às perguntas da lição de casa que já havia feito e respondido com sua mãe. Fomos comparando sua "resposta atual" com a que havia relatado a sua mãe no início do ano, e ele decidia qual iria valer. Todas as questões deveriam ser trabalhadas, e assim ele definiu a sua: bicho ou coisa do mar preferida = "Nemo", ou melhor, o peixe-palhaço.

Ao longo da quinzena, confeccionamos um peixe-palhaço, cada criança o seu, com meias-calças finas trazidas de casa. Vale lembrar que, antes de começarem a elaboração do bicho, eu levei informações curtas, porém bastante significativas para a compreensão e conhecimento do animal. Normalmente, eram trazidas curiosidades, o que tornava a discussão com o grupo muito dinâmica e envolvente. ∎

Vale destacar que todas as crianças tiveram sua quinzena como protagonistas do projeto. Apenas ilustrei o texto com a liderança do menino de três anos, que chamei de Pedro. Suas preferências – cor, forma, alimento, música, história, brincadeira – foram exploradas e conhecidas por seus colegas, o que fortaleceu as relações de grupo. O professor vivenciou o exercício diário de construção de um planejamento, de acordo com interesses, necessidades e faltas das crianças em sintonia com os conteúdos e os objetivos previstos no planejamento da instituição para essa faixa etária: aprendizagens para todos os sujeitos envolvidos no projeto.

O ponto de observação

A primeira direção na construção das redes para a formação em serviço, que abordarei no capítulo "Redes formativas: a cultura do grupo", foi a continuidade do trabalho realizado com os cadernos de registro das professoras, e a "provocação" desafiadora de que cada uma delas elegeria uma pergunta essencial a ser perseguida no decorrer do ano.

O ponto de partida para a proposta foi a premissa central de Stenhouse, de que o professor-investigador tem a possibilidade de se tornar autor de sua história. Stenhouse defendia a ideia de que a técnica e o conhecimento profissionais podem ser objetos de dúvida, isto é, de saber e, consequentemente, de pesquisas. Para o autor, essa postura investigativa daria, aos professores que se destacassem na busca de questões pedagógicas, a transformação do ensino em aventura da educação, ou seja, algo que, simultaneamente, seja interessante, desafiador, prazeroso e traga novas contribuições, como, a meu ver, se dispõem os projetos e os registros das pesquisas realizadas pelos docentes.

Segundo Stenhouse, não pode haver desenvolvimento curricular sem desenvolvimento profissional dos professores, o que está de acordo com Nóvoa (1995), que também destaca a impossibilidade de separação entre a formação pessoal e profissional do docente. A integração entre fazeres e saberes pode promover a qualificação pessoal e profissional dos docentes do grupo e a construção de um currículo em ação capaz de promover as aprendizagens necessárias às crianças na Educação Infantil.

Cada projeto tem desafios particulares a serem transpostos, conteúdos a serem explorados, objetivos a serem trabalhados, pesquisas a serem realizadas, parcerias teóricas a serem definidas: todo projeto é uma "aposta" de que muitas expectativas podem ser alcançadas e aprendizagens significativas irão acontecer.

O investimento na formação para o trabalho com projetos se dá no sentido de subsidiar o olhar do professor na construção do foco do seu olhar, pois "quem tudo olha, nada vê". Portanto, como definir o foco do próprio olhar e relacionar buscas com o tema de interesse do grupo?

Cada professor foi desafiado a construir um "ponto de observação", uma questão para a observação de sua própria prática pedagógica cotidiana. O objetivo era direcionar/focar o olhar docente para determinada situação, construindo, disciplinadamente, sua atuação/intervenção junto ao grupo.

O ponto de observação serve como diagnóstico do grupo, como uma fotografia da realidade, que integra aspectos objetivos e subjetivos, que possibilita a elaboração de intervenções adequadas e o planejamento da continuidade do trabalho, além de avaliar a atuação de todos os envolvidos na construção do conhecimento. O ponto de observação estrutura-se via o uso de instrumentos metodológicos – planejamento, observação, registro e avaliação –, orienta as propostas para atingir os objetivos centrais das aprendizagens das crianças e explicita a intencionalidade da ação docente, segundo Madalena Freire.

Em Lev Vygotsky encontro a fundamentação, a importância e a função desse olhar em foco, como sendo a materialização da zona de desenvolvimento proximal do sujeito-aprendiz. Retomo a explicação do autor, que considera o ponto como um espaço de interseção entre o que o sujeito já sabe e é capaz de fazer sozinho (zona real), e o que ele aprende a fazer, e faz quando desafiado, com a ajuda de um parceiro mais experiente, algo que tem a possibilidade de se transformar em conhecimento e aprendizagem, deixando de ser potencial, tornando-se real.

A intervenção do educador-coordenador se dá no sentido de conscientizar o educador-professor de seu papel de pesquisador em relação às metas de aprendizagens a serem atingidas, conforme o objetivo a que se propôs inicialmente (seu foco). Desta maneira, contribui para o amadurecimento de funções ainda embrionárias no seu grupo/classe e na ampliação de seu universo conceitual, por meio da indicação de teóricos que pensaram sobre as mesmas questões.

A elaboração do ponto de observação/foco é fruto de relações interpessoais que se processam na vida em grupo e do que elas provocam no sujeito-pesquisador. É uma construção social, pois depende de outros, o que leva tempo, e está inserida em um contexto histórico-cultural. O registro escrito do foco do olhar constitui-se em um mediador significativo para a ação docente, pois:

> [...] é no processo de redação de um texto que nosso pensamento caminha, encontrando soluções que dificilmente aparecerão "antes" da textualização dos dados provenientes da observação sistemática. (OLIVEIRA, 1996, p. 56)

A construção do ponto de observação, segundo Madalena Freire, caminha em tripla direção, referindo-se:

- às aprendizagens individuais e coletivas;
- à dinâmica trabalhada na aula; e
- à atuação da coordenação como responsável pelo grupo.

Os três fatores são interdependentes e constituem a essência de uma proposta pedagógica: três focos que dialogam para favorecer a construção de novas aprendizagens.

Conteúdos conceituais explícitos e latentes transformam o ponto/foco em elemento de percepção e leitura da realidade, desde que seja formulado com base em dados observados anteriormente, clareza de onde se quer chegar, intencionalidade e justificativa. Na definição e escrita do foco, o professor apropria-se de si mesmo, de suas inquietações, do seu pensar e agir, da autoria da própria história, propositor consciente do percurso pedagógico, que é único em cada grupo.

Do registro reflexivo da observação à sua comunicação, o professor elabora uma síntese das ideias principais a serem socializadas no grupo, ao redigir o seu portfólio ou documentação pedagógica. É na socialização que o autor pode rever seu texto, revisar, aprofundar, ilustrar, lidar com faltas e com escolhas do que quer expor.

Acredito que há desafios a serem transpostos para que o uso do ponto/foco seja eficaz, como a dificuldade da escrita, a busca por palavras que contemplam o que se pretende atingir, a objetividade e a sutileza do questionamento nele contido, a sintonia do seu conteúdo com o projeto pedagógico. Dentre os recursos utilizados como facilitadores para a aprendizagem da metodologia docente, escolhi a redação de um texto a partir do roteiro que segue:

Roteiro (organizador)

Sugestão de elaboração do projeto de intervenção individual.

1. Definir o tema de seu projeto.

2. Dar um título a ele ("batize-o" com um nome que o represente).

3. Definir a pergunta da pesquisa de intervenção e registrá-la.

4. Começar a escrever, contextualizando o leitor sobre o seu grupo e de que lugar você fala (professora titular ou auxiliar).

5. Descrever a justificativa do projeto: um incômodo, uma falta, um desafio.

6. Começar a narrar, a seu modo, não há "receitas": o diálogo que você estabeleceu com os teóricos, o seu caderno de registros sobre a sua prática e a voz das crianças. Como nas palavras de Piaget, "só se aprende a fazer, fazendo".

7. Ilustrar com fotos/desenhos/circulares o que achar marcante na evolução do projeto.

8. Ler textos dados, como ampliação de conhecimentos.

9. Estabelecer articulações entre a sua pesquisa e os assessores com os quais você convive no decorrer do ano: quais as relações possíveis, ou não? Que tipo de conhecimento desencadearam?

10. Lembrar de que todo projeto é único, uma "aposta" criativa na construção do conhecimento e contempla toda a subjetividade do professor-autor, que investiga a própria prática educativa.

Bom trabalho, e mãos à obra!

REDES FORMATIVAS: A CULTURA DE GRUPO

Uma imagem vale mais do que mil palavras.

Confúcio

Se uma imagem vale mais do que mil palavras, o que não dizer quando a imagem está associada às palavras?

Luis Cancel

Devemos recorrer à arte para captar o sentido da forma e da cor. Só assim se descobre a verdadeira essência do homem.

Rudolf Steiner

A opção de trabalhar a formação dos professores por meio de redes de palavras e de imagens conectadas a projetos e portfólios partiu da necessidade de ampliar a metodologia utilizada na formação em serviço, no sentido de socializar avanços realizados por alguns professores, divulgar conquistas, "provocar" a percepção de outros, e fortalecer a aprendizagem do grupo como um todo. Segundo Paulo Freire:

[...] a palavra humana é mais que um simples vocabulário. É palavra e ação. Falar não é um ato verdadeiro se não estiver ao mesmo tempo associado ao direito à autoexpressão e à expressão da realidade, de criar e recriar, de decidir e eleger, e, em última instância, de participar do processo histórico da sociedade [...]. (1996, p. 67)

A leitura da afirmação freiriana no livro *Pedagogia da autonomia* me instigou a buscar, no projeto de intervenção para a formação de professores, um caminho no qual se estabelecesse, de forma estética, um diálogo interativo entre palavras e ações, que se complementam e se integram, por meio da participação do educador numa ação coletiva.

A construção de redes favorece a comunicação do pensamento do sujeito-educador, a expressão concreta de seus pensamentos por escrito e a busca da síntese de suas ideias principais pela produção ou eleição de uma palavra-chave ou de uma imagem que a represente. Um exercício que potencializa o raciocínio, a escolha de palavras/imagens significativas que apoia a tomada de consciência da prática, da concepção pedagógica que a orienta e o posicionamento diante do grupo.

O trabalho com redes, por seu aspecto coletivo e socializador, oportuniza a clareza e a concretização do papel do professor na construção da Pedagogia da Infância, assim como propicia o contato com a diversidade de pensamentos e a ampliação de referenciais individuais.

Para construir as redes, o sujeito busca, em seu repertório pessoal, as palavras e/ou imagens que sintetizam seus saberes e se posiciona diante do questionamento que lhe foi feito pelo coordenador-pesquisador-orientador e demais membros do grupo, o que significa uma possibilidade de novas aprendizagens. O outro, segundo a abordagem de Wallon, traz em suas palavras e ações a possibilidade de contato com a diversidade de pontos de vista, bem como com o inusitado de algumas descobertas, situações desafiadoras de novas aprendizagens para o grupo como um todo.

As palavras de Madalena Freire embasam e complementam essas ideias, justificando o uso da metodologia das redes em grupo:

> [...] enquanto humanos somos incompletude, convivemos permanentemente com a falta [...] é da falta que nasce o desejo... por sermos incompletos, no convívio permanente com a falta, somos sujeitos desejantes... enquanto humanos "somos uma inteireza", e ao mesmo tempo "seres inacabados" como nos diz Paulo Freire, somos constituídos de cognição, razão, inteligência, mas também, de afetividade, amorosidade [...] só aprendemos e ensinamos por amor ou por ódio, nunca na indiferença, mas construindo vínculos [...] dependemos do grupo, vivemos em grupo, onde aprendemos, trabalhamos... dependemos sempre do outro, que nos completa, nos amplia, nos esclarece, nos limita, nos retrata no que somos, no que nos falta, porque somos incompletude e unicidade [...].
> (2008, p. 24-5)

O conceito de rede/mapa conceitual

O termo "rede" (do latim *retem*) refere-se ao

> [...] utensílio de pesca, feito de tecidos ou malhas de variável largura que retém o peixe, ou a todo e qualquer objeto que tenha malhas, fios entrelaçados, sejam de tecidos, sejam de metais; entrelaçamento de vasos sanguíneos, de nervos, de músculos, de fibras; conjunto de rios de uma região; [e, em especial, ao] grupo de pessoas que executam movimentos coordenados para a obtenção de um mesmo objetivo. (BUENO, 1965, p. 3.410)

Em todas as definições é possível destacar características comuns que configuram o conceito como algo que é coletivo; que forma um conjunto; que produz um entrelaçamento de fios inicialmente dispersos, e que são retidos numa malha; a união de tecidos que, reunidos, constituem uma forma... e todas as variáveis subsidiam a construção do conceito de pertencimento ("parte de"), de objetivo em comum, de relação do todo com as partes e de cultura de grupo, metas essenciais à formação docente.

Mas... de que modalidade de rede eu falo? Entre as possibilidades metodológicas de formação em equipe, a opção que fiz foi por construir redes formativas com palavras e imagens, que concretizam a "lógica do E", isso "e" aquilo, lógica da inclusão, da diversidade, dos diálogos interativos, que enfatizam elos e conexões entre diferentes autores. As redes acrescentam elementos que favorecem novos olhares, adicionam propostas diferenciadas às experiências previamente vivenciadas pelos sujeitos e unem uns aos outros, diferentemente da busca de uma única resposta-padrão, previamente traçada pela coordenação.

Acredito na potencialidade mediadora de palavras e imagens para expressar ideias e significados atribuídos por seus emissores, que desvelam a concepção de mundo, de criança e educação norteadoras de práticas pedagógicas. Palavras e imagens que se integram e se completam em um diálogo metafórico, que sintetizam saberes dos professores, desafiados a se expor diante do grupo e a tomar consciência das práticas cotidianas e dos autores que as referendam.

As palavras desvelam a leitura de mundo do sujeito-professor e registram percepções, indagações, interpretações sobre os objetos de conhecimento, documentando fazeres e saberes do sujeito e do professor. As palavras correspondem a conhecimentos, faltas, necessidades, conquistas, conflitos, ampliações e muitas emoções, além de traduzirem marcas significadas pelo sujeito e referendadas a partir do grupo.

Como a palavra toca o sujeito? Qual o sentido que ela traduz da leitura de mundo que o sujeito faz e das marcas que deixa? Vivência e experiência: sinônimos ou complementos? Palavra, termo, assertiva, afirmação, fala, voz... identidade de educador que, ao se expressar por palavras-chave, projeta seus pensamentos no/para o grupo, ao mesmo tempo em que os introjeta, trazendo-os para dentro de si, apropriando-se da contribuição de seus parceiros e internalizando diferentes pontos de vista. Trocas interativas que nutrem, ampliam, reforçam e validam a cultura do grupo de professores de Educação Infantil, ao criar e referendar um repertório em comum.

É essa referência coletiva que possibilita aos sujeitos do grupo transcender saberes-fazeres iniciais; ao serem respaldados, vão além em suas indagações, constroem novos significados... Por sua vez, ao compartilhar práticas ressignificadas, ampliam o olhar do grupo como um todo... uma ciranda interativa que fortalece a Educação Infantil na voz de seus sujeitos, enquanto grupo de profissionais de educação compromissados com a aprendizagem pessoal e, em especial, com a das crianças de zero a cinco anos de idade, explicitando em palavras e imagens o que move a docência.

Como dizia Nietzsche (in HÉBERT-SUFFRIN, 1991, p. 89), "como é agradável ouvir palavras e sons! Não serão as palavras e os arco-íris as pontes ilusórias entre as coisas eternamente separadas?".

Redes de palavras e imagens

Parti da premissa de que a exploração de palavras e imagens poderia se transformar em um motor de mudanças e de crescimento para o grupo, tanto no que se refere aos conhecimentos da cultura quanto à sensibilidade de olhar, e o fortalecimento de vínculos afetivos e relações interpessoais decorrentes do convívio entre os sujeitos: "as palavras somos nós", como afirma Gabriel Perissé em sua obra *A arte da palavra*. As palavras, ao serem expressas, criam pontes entre o que o sujeito pensa e o que concretiza, articulam o pensamento entre os sujeitos e criam um contexto que, inicialmente imaginário e idealizado, pode ser real e é capaz de provocar mudanças nos saberes pessoais. Considero que o uso de imagens associado a palavras possibilita a ampliação de significados e relações em diferentes óticas. Na sociedade contemporânea, as imagens comunicam ideias, despertam pensamentos e transformam-se em material para reflexões.

PALAVRAS EM REDE: A INTENCIONALIDADE DA AÇÃO PEDAGÓGICA
"O QUE NOS MOVE?" | "O QUE NOS UNE?"

autoria — emoção — corpo — vínculo — desejos — criança — significados — escolhas — pesquisa e busca — saberes — aprender e ensinar — sujeito — projeto — teoria e prática — relação — instrumentos metodológicos — lúdico — fazeres — grupo — trocas — escuta — necessidades — rede — reconstrução — diálogo — memória "nichos"

A pergunta existencial e o trabalho em rede

Mas... "O que me move?", "O que move o outro?", "Qual o sentido da docência na infância?", "O que eu busco?"...

A mobilização do sujeito em busca de palavras-chave e de imagens que representem uma inquietação interna envolve a pesquisa pessoal e a procura de significados. Aponta percursos de formação ao reapresentar a "pergunta existencial de cada um", com o olhar sensível, acolhedor, instigante e integrador da interdisciplinaridade, como define Ivani Fazenda: que reúne e dá sentido ao que move o ser humano... encontro de humanos que compartilham experiências e ressignificam aprendizagens uns com os outros!

O trabalho em rede também é visto como "uma constelação sistêmica, um espaço temporal da realidade formada por conexões que se codeterminam" (HOYUELOS, 2006, p. 41), como na abordagem italiana dos projetos descrita por Alfredo Hoyuelos em sua obra, portanto, complementar à metodologia pesquisada.

Para Loris Malaguzzi, cujo trabalho Hoyuelos seguiu *in loco*, durante muitos anos, em Reggio Emilia para a elaboração de sua tese de doutorado, a escola deve seguir uma visão ecológica que

> [...] constrói um contexto estrutural e organizativo entre diversos elementos que situam o ser humano, acolhendo-o numa rede de relações que supõem um campo de possibilidades criativas de expressão e de comunicações múltiplas [...]. (HOYUELOS, 2006, p. 41)

Há uma interdependência dos elementos envolvidos na construção do conhecimento, o que caracteriza a visão de formação como um processo sistêmico, globalizador, ecológico e "simplesmente complexo", difundido por Morin como interdisciplinar,

> [...] o complexo requer um pensamento que capte relações, inter-relações e implicações mútuas, os fenômenos multidimensionais, as realidades que são simultaneamente solidárias e conflitivas, [...] que res-

peite a diversidade, ao mesmo tempo que a unidade [...] um pensamento organizador, que conceba a relação recíproca de todas as partes [...]. (2000b, p. 14)

Dessa forma, o pensamento do educador, pouco a pouco, abstrai-se das impressões iniciais e "dá asas à imaginação" em busca de respostas às questões internas, ou se move em direção ao que seus parceiros trouxeram como inusitado e, pela percepção da falta, sente-se provocado a conhecer.

Na rede, a exploração do objeto de conhecimento possibilita a reestruturação do pensamento do sujeito-aprendiz que, desejoso de participar e contribuir com relatos de seus fazeres e saberes, move-se, com autonomia, para superar suas faltas momentâneas, ou se retrai e se isola do grupo, numa atitude de silêncio e profunda resistência diante do não saber, postura algumas vezes agressiva, em outras resignada e indiferente. Nesses casos específicos, cabe ao coordenador/pesquisador encontrar soluções para mobilizar o grupo como um todo e cada um de seus participantes.

Formação em serviço: vida de grupo

A visão de rede segue, também, a abordagem de Malaguzzi, descrita por Hoyuelos, pela concepção de que o contexto de formação em serviço se mescla com a própria visão de escola: um espaço de encontros e trocas interativas, que requer determinados eixos de orientação – um norte para os sujeitos que a ela pertencem –, assim como a explicitação e a identificação da cultura vigente no grupo em questão.

A escola, além de um espaço de encontros e trocas interativas, é também um local de reflexões e aprendizagens compartilhadas, que gera e difunde reconhecimentos formadores e transformadores para os cidadãos que a habitam e, consequentemente, propicia a consolidação do sentimento de pertencimento à realidade. É fundamental aos professores de determinado grupo ter consciência do que se espera, com que propósito, qual a fundamentação de cada uma das solicitações feitas, os caminhos a serem percorridos, as metas a serem atingidas, para que possam aderir à proposta pedagógica da instituição e da formação em serviço.

É essencial a clareza, para cada integrante do grupo, da sua contribuição, identificação com os objetivos propostos à formação e participação nas ações e decisões, cada qual na função que exerce; só há adesão quando se percebe o sentido da proposta e se sente parte do contexto de ação.

Quando um argumento de inovação é proposto ao grupo de professores com coerência e sentido, ou se estabelece uma relação entre os fatores já existentes no trabalho realizado, cria-se um complexo de relações flexíveis, abertas a um horizonte de variedades enquadradas em um limite, o que favorece uma disponibilidade interna de adesão às novas provocações. A metodologia do trabalho em redes mostra-se adequada aos objetivos e concepções destacados, mapeando conceitualmente o pensamento e as possibilidades do grupo.

É essencial que o grupo perceba a sequência da proposta na formação, o fio condutor que orienta o percurso pedagógico. Caso contrário, a visão sistêmica ficará truncada, ou pouco explicitada, rompendo a possibilidade de compreensão e concordância do grupo como um todo, tornando-se uma imposição ao invés de uma participação espontânea. A todo instante, durante todo o processo de formação de professores, é necessário que se recupere a trajetória do que foi feito, de que forma e para que fim, clareando a estrutura que conecta os acontecimentos e a interdependência entre sujeitos e conteúdos envolvidos.

O acolhimento a todos os integrantes e a parceria na superação do estranhamento inicial diante do desconhecido é uma atitude intencional de formação, ante a certeza de que requer tempo tornar familiar a metodologia adotada, e incluir todos os participantes, antigos e novos membros.

O trabalho com redes viabiliza a possibilidade de expressão do sujeito-professor, o confronto de diferentes pontos de vista, a comunicação entre os integrantes do grupo, o posicionamento diante das questões colocadas, o comprometimento com a aprendizagem pessoal e com a dos parceiros, a união de braços, vozes e repertório coletivo: histórias e experiências da vida de grupo... "bocas que murmuram... palavras... enquanto se procuram..." e formam uma teia formativa e uma cultura coletiva de profissionalização docente.

No grupo, a escuta do outro agrega novas palavras aos repertórios de cada um, que ficam "armazenadas", à espera de significação, como se estivessem em um espaço embrionário, latente, um "vir a ser" dos projetos.

Como vimos no capítulo "Redes formativas: a cultura de grupo", Vygotsky nomeava este espaço intermediário entre o que o sujeito sabe (conhecimento na sua zona real) e o que ele virá a se apropriar (zona potencial), como zona de desenvolvimento proximal: uma área de gestação e amadurecimento de ideias e ações, que requer ajuda momentânea de parceiros mais experientes, como o coordenador, os demais professores, os teóricos que respaldam saberes pessoais.

Há, também, o aspecto democrático da metodologia das redes, que envolve a negociação de todos os envolvidos a fim de formar um consenso para a montagem do painel que represente o grupo: argumentar, elaborar ideias, priorizar, confrontar... tempo de espera, de tomar a iniciativa, de ceder... de ser protagonista da ação, liderar as escolhas do grupo e de concordar com a vontade alheia... vivenciar, participar com respeito, cooperação e ética, sentimentos decorrentes dos conflitos vividos... vida de grupo em todas as suas dimensões, exercício de cidadania, cooperação e solidariedade, que considera a inteireza do ser humano: sujeito que é afeto, cognição e emoção, que se mesclam na tessitura de novos conhecimentos, como dizia Paulo Freire.

Redes/mapa conceitual como metodologia

As redes remetem a imagens formadas por palavras, ou por figuras, desenhos, obras de arte que, juntas, configuram uma mensagem a ser compreendida, interpretada, "lida" nas entrelinhas pelos membros do grupo, incluindo a coordenação. A percepção do que foi dito, e do que foi representado, aponta para valiosas fontes de informação de interesses, necessidades e faltas do grupo: caminhos de (trans)formação da prática docente, desde que sejam recuperados em planejamentos posteriores com o olhar sensível, aberto e flexível do coordenador.

As imagens que se formam nas redes remetem a desenhos muito próximos a mandalas, cirandas, ou àquilo que o grupo queira dizer por um caminho metafórico, no sentido de que são símbolos convergentes, que se dirigem a um "centro", um eixo de referência no espaço disponível, e que dão a ideia de uma releitura do objeto em questão, uma manifestação simbólica da psique humana.

> **MANDALA**
>
> A palavra "mandala" refere-se a uma imagem organizada ao redor de um ponto central, que restabelece e conserva a ordem psíquica do ser humano, no sentido de convergir o olhar e a lembrança interna para um ponto em comum, algo que reúne, reequilibra, organiza emoções e pensamentos de seus autores.
>
>> "Mandala" é uma palavra sânscrita (antigo idioma indiano), que significa círculo, circuito, uma representação geométrica da dinâmica relação entre o homem e o cosmo. Em geral, designa toda figura organizada ao redor de um centro, sejam quadrados, triângulos ou outros. Não queríamos traduzir o vocábulo "mandala" porque seu alcance transcende a noção de forma circular. De fato, toda mandala é a exposição plástica e visual do retorno à unidade pela delimitação de um espaço sagrado e atualização de um tempo divino. É um símbolo universal. Em todas as culturas do mundo as mandalas guiam pesquisas e criações, tanto do sábio como do artista. (PRÉ, 2007, p. 45) ∎

Em uma tarefa individual, desenvolvida com o grupo de formação de professores, uma professora desenvolveu uma rede que buscou recompor a discussão a partir da imagem de uma mandala: uma integração de palavras-síntese numa ciranda representativa do movimento pedagógico... que flui, que gira, que cria e se expande... sujeito que aprende enquanto ensina, como nas palavras de Paulo Freire.

Diagrama em espiral com as palavras: APRENDIZAGEM (centro), INQUIETAÇÃO, SUPERAÇÃO, DIVERSIDADE, VÍNCULO, OBSTÁCULOS, IMAGINAÇÃO, CONHECIMENTO, PARCERIA, ENERGIA, AMIZADE, EXPERIÊNCIA, CURIOSIDADES, INFORMAÇÕES, AFETO, ENVOLVIMENTO, SÍMBOLO.

É interessante notar que palavras inicialmente dispersas, sem um pré-projeto de organização, vão, lentamente, agrupando-se e constituindo-se em uma forma, uma narrativa, construindo um circuito/percurso de significados variados, que ressignificam seu sentido original; no agrupamento da palavra de cada um dos participantes configura-se um novo sentido coletivo para a temática em questão.

Como dizia o poeta Mario Quintana (2007, p. 115), "o verdadeiro fruto da árvore do conhecimento é a simplicidade", a que Morin se refere como "simplesmente complexo". Portanto, requer um olhar sensível e reflexivo sobre linhas e entrelinhas do "texto" elaborado pelo grupo, não só sobre o processo de elaboração, gestos, palavras, olhares, discussões, mas também sobre o produto final: uma produção coletiva, fruto da relação entre sujeitos de determinado contexto com um objetivo (consigna, proposta) em comum. A leitura atenta do coordenador do grupo pode subsidiar a construção da hipótese: "O que move o educador?".

Objetos transicionais: conectando o cognitivo ao emocional

Outra consideração sobre o trabalho com redes é o valor atribuído por Winnicott ao objeto transicional: algo que intermedeia uma relação e possibilita a ligação entre cognição e afetividade do sujeito, portanto, favorável à construção de novos conhecimentos.

Uma situação nova e desconhecida, o desafio de se colocar diante do outro, o constrangimento do "não saber" determinadas solicitações feitas pelo coordenador podem suscitar medos, ansiedades e insegurança nos participantes do grupo. Essas emoções precisam ser consideradas como algo esperado nesta situação e devem, na medida do possível, ser trabalhadas.

Com esse olhar, os objetos transicionais cumprem o papel de mediar a ação do sujeito, como se fossem um "anteparo", uma "defesa", uma "proteção" à exposição pública do sujeito-professor. Esses objetos são: lápis, papéis dos mais variados tamanhos, barbantes, fitas coloridas, canetas hidrográficas de cores variadas, fita-crepe, cola, cartões recortados em papel-cartão colorido, imagens recortadas e xerocadas, painéis feitos com papel *Kraft*, pincéis, tintas coloridas, e outros mais...

A exploração/manipulação desses materiais, que intermedeiam a expressão dos saberes dos professores, cria um clima favorável à busca, à imaginação e um ambiente de fluência de ideias, que fortalece não somente os vínculos, mas também a cultura do grupo. O toque no objeto, a sensação perceptiva que os sentidos proporcionam ao sujeito, favorecem o ato de criação para transformar as matrizes dos educadores e alimentar saberes e fazeres pedagógicos: ações intencionais que favoreçam as aprendizagens das crianças...

> O ato de criação [...] é o processo de dar forma e vida aos nossos desejos [...] assim, é necessário estar concentrado – com corpo e alma presentes – para desenvolver o esforço, na educação, do desejo que traz o germe da paixão... paixão que precisa ser educada [...] (FREIRE, 2008, p. 63)

Segundo Fayga Ostrower (1987), criar é um processo existencial. Não lida apenas com pensamentos, nem somente com emoções, mas se origina nas profundezas do nosso ser, onde a emoção permeia os pensamentos ao mesmo tempo em que a inteligência estrutura, organiza as emoções. A ação criadora dá forma, torna inteligível, compreensível o mundo das emoções.

Ao pesquisar na ação, ao fazer uma "pesquisa-ação" da própria ação, movimento que, metaforicamente, pode ser associado a "pôr as mãos na massa" para apropriar-se do "fazer-saber pedagógico", o sujeito-autor cria, faz arte com corpo e alma, "valoriza a estética em sua prática educativa ao lidar com o imaginário e o inusitado cotidiano": situações potencialmente (trans)formadoras. "A ação criadora envolve o estruturar, dar forma significativa ao conhecimento", pois "toda ação criadora consiste em transpor certas possibilidades latentes para o campo do possível, do real" (FREIRE, 2008, p. 64).

Portanto, ao construir a rede, o sujeito estabelece relações entre o real e o ideal, aprende na ação, com a ação, e arquiteta uma nova visão pedagógica ao criar conexões que podem ser cada vez mais complexas sobre o objeto em estudo.

Estruturação da rede

Na elaboração da rede, o tema é destacado por escrito no centro do papel. Acima dele, os objetivos centrais da faixa etária ganham evidência, como um rumo a que se deve olhar o tempo todo. Ao seu redor, as áreas do planejamento são distribuídas e ganham os seus espaços à medida que o trabalho é desenvolvido no grupo, gerando novas ramificações. O professor atento percebe, nesse mapa/rede, suas faltas e preferências junto ao grupo, obtendo material para planejar os passos seguintes, da mesma forma que o utiliza para avaliar o trabalho realizado.

As redes, assim como os projetos, são construções diárias, contínuas, analíticas e sintéticas, registros do educador de uma história de grupo que é feita passo a passo, com múltiplas abrangências de socialização e documentação, diferentes testemunhos da memória.

A organização das redes favorece o diálogo entre diferentes áreas do conhecimento, de tal forma que se mesclam e se complementam em um olhar interdisciplinar.

Se interpretar é compreender, desvelar e se pôr no lugar do outro para ouvir o não dito, ler o que está contido em gestos, "meias palavras" e perguntas que não foram feitas, as redes, tanto em sua vertente coletiva quanto na individual, configuram-se como caminhos genuínos de formação, socialização de ideias, espaços de tomada de consciência do que se sabe, uma busca de síntese de palavras que condensam conteúdos referentes ao que move o sujeito-educador em pleno exercício de seus fazeres e saberes da docência.

As redes caracterizam-se como um espaço democrático de documentação e reflexão pedagógica e da construção de novos conhecimentos, a fim de qualificar a intervenção do professor no cotidiano da sala de aula.

O registro em redes formativas transforma a história do grupo em memória individual e coletiva, marca a singularidade de palavras e imagens selecionadas pelos sujeitos que fazem parte dessa história, e potencializa a atribuição de novos sentidos à prática pedagógica, ao se refletir sobre a própria ação no dia a dia da regência docente; constitui a identidade dos educadores da infância... rede que forma, transforma e recria a autoria da docência... ensina e aprende com autonomia e inteireza do ser humano, como dizia Paulo Freire.

As redes e a arte

Segundo Madalena Freire,

> [...] no processo de educar, o educador faz arte, ciência e política. Faz política, quando alicerça seu fazer pedagógico a favor ou contra uma classe social determinada. Faz ciência, quando estrutura sua ação pedagógica, apoiado no método de investigação científica. Faz arte, porque se defronta com seu processo de criação, porque valoriza a estética na sua prática educativa ao lidar com o imaginário e

o inusitado cotidianamente. A ação criadora envolve o estruturar, dar forma significativa ao conhecimento. Toda ação criadora consiste em transpor certas possibilidades latentes para o campo do possível, do real [...]. (2008, p. 64-5)

Pensando na forma de articular as ações políticas, científicas e estéticas, que caracterizam o papel do educador ao ensinar e aprender com o próprio ensinar, a construção de painéis coletivos mostrou-se desafiadora e adequada aos objetivos propostos à formação, em especial, por explorar um "fazer" em grupo: algo que articula os sujeitos participantes em torno de um objetivo em comum, proposto pela coordenação, com uma finalidade específica.

Lembrando Morin (2000, p. 103), "o papel da educação é de nos ensinar a enfrentar a incerteza da vida... é o de instruir o espírito a viver e a enfrentar as dificuldades do mundo"; portanto, a construção das redes, individuais e coletivas, pode ser uma possibilidade para o professor configurar alternativas significativas às questões pedagógicas cotidianas.

A construção de redes aponta caminhos e soluções facilitadoras para os encaminhamentos dos projetos, subsidiando intervenções criativas dos professores.

As redes, vistas como objetos transicionais na concepção winnicottiana anteriormente citada, apontam para a tomada de consciência do percurso formativo do grupo de crianças, tornando-se uma ferramenta auxiliar de importância considerável na qualificação da docência.

Aliada ao planejamento, à observação, à avaliação e à reflexão, essa forma diferenciada de registro abre uma outra dimensão à ação dos docentes: a conexão entre objetividade e subjetividade do sujeito-professor e do grupo como um todo, pois as imagens dos painéis/mapas constituem uma possibilidade de "leitura" singular: metáforas da prática pedagógica.

Redes individuais e redes coletivas

Embasada nessa concepção, a metodologia de trabalho com redes desenvolveu-se em duas direções, caracterizando-se numa dupla tipologia: as redes individuais, vistas como um "mapa conceitual" do projeto de cada professor, e as redes coletivas, espaços estéticos de socialização e aprendizagem de grupo.

As redes individuais

As redes individuais abrangem a dimensão referencial e organizacional para o educador, no sentido de que os projetos possam garantir a integração dos diferentes conteúdos das áreas do conhecimento e âmbitos de experiências propostos no planejamento institucional para cada faixa etária.

Se pensarmos no tema do projeto – considerado um elemento aglutinador de conteúdos e atividades, um eixo de integração de objetivos a serem atingidos – veremos que ele possibilita idas e vindas entre os diversos conteúdos a serem pesquisados, a interligação de possibilidades descobertas pelo educador à medida que caminha com o seu grupo, mas requer, para a organização do percurso, a construção de uma rede, como um mapa conceitual que guia o caminho transcorrido e configura o percurso realizado na construção de novos conhecimentos.

As redes individuais transformam-se em planejamento prévio e documentação dos projetos, registros que narram ao professor e aos demais membros do grupo, de forma diferenciada, a história vivida pelo grupo: sintetizam em palavras-chave um processo de construção de conhecimento que, visualmente, informa e convida à participação.

Na dimensão individual, a intenção é que cada professor registre seu planejamento, para que tenha em mãos os conteúdos conceituais explorados e a abrangência dos âmbitos de experiências ou das áreas envolvidas nas diferentes atividades de seus projetos, de tal forma que todas sejam contempladas e conectadas ao redor do tema proposto. O tema, como fio condutor e elemento aglutinador de conteúdos específicos das áreas prescritas no Projeto Pedagógico institucional, para cada faixa etária, referenda o percurso do projeto de cada grupo, garantindo sua função como o eixo de integração da proposta de trabalho.

A construção da rede de cada professor possibilita sucessivas idas e vindas ao "mapa" do trabalho, um planejamento vivo do projeto, referência do que foi e do que será feito, uma carta de intenções da temática explorada, que, ao ser documentada, se torna um memorial da trajetória realizada. Para elaborá-la, o professor recorre ao seu planejamento e busca uma organização criativa dos conteúdos em conexão com o tema do projeto, de acordo com o interesse, as necessidades e as faltas de seu grupo.

Ao dispor conceitos centrais de investigação, o professor constitui um espaço de criação e uma forma particular de mapear sua prática cotidiana. Em especial, ele se depara com o desafio de articular pensamento à ação, fazeres e saberes da prática pedagógica voltados para a realidade do seu grupo.

A rede apresentada a seguir foi elaborada no decorrer de um ano, e ilustra o projeto desenvolvido com um grupo de 15 crianças de um a dois anos de idade, descrito no capítulo "Redes formativas: a cultura de grupo". O foco foi a construção de conhecimentos por meio da exploração dos sentidos e das percepções corporais. O tema do projeto era o fundo do mar, que foi denominado "Mar de sentidos".

AUTONOMIA — MAR DE SENTIDOS (brincadeiras, atividades corporais, higiene, mundo físico, desenhos, rodas de conversas, brinquedos, histórias, músicas, mundo social, relacionamento, atividades coletivas diversas) — SOCIABILIDADE

A rede seguinte ilustra um projeto realizado com 18 crianças de três anos de idade, intitulado "Bola mágica" – citado na página 82 –, cujo foco era a exploração de formas circulares: dos movimentos humanos, de objetos da natureza e da cultura.

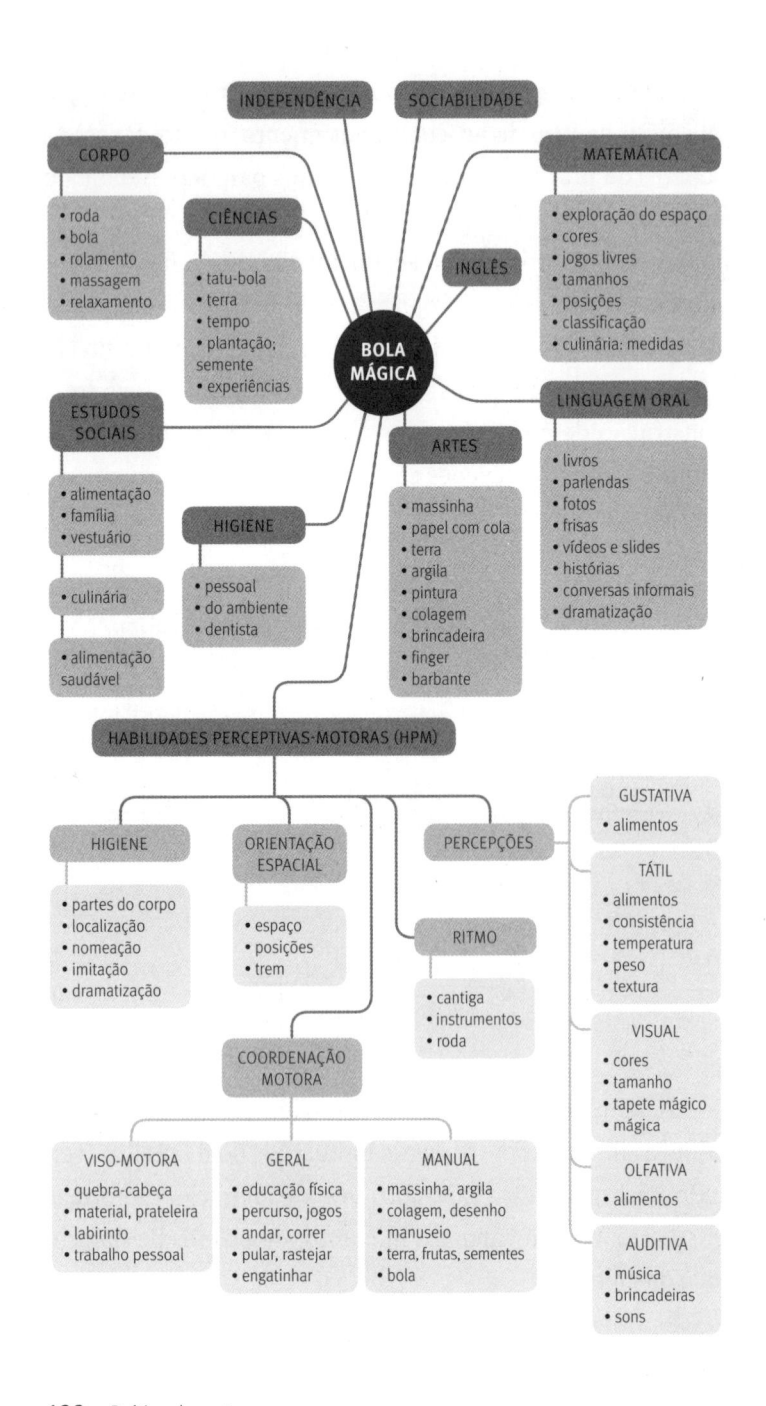

BOLA MÁGICA

- **INDEPENDÊNCIA**
- **SOCIABILIDADE**
- **INGLÊS**

CORPO
- roda
- bola
- rolamento
- massagem
- relaxamento

CIÊNCIAS
- tatu-bola
- terra
- tempo
- plantação; semente
- experiências

MATEMÁTICA
- exploração do espaço
- cores
- jogos livres
- tamanhos
- posições
- classificação
- culinária: medidas

ESTUDOS SOCIAIS
- alimentação
- família
- vestuário
- culinária
- alimentação saudável

HIGIENE
- pessoal
- do ambiente
- dentista

ARTES
- massinha
- papel com cola
- terra
- argila
- pintura
- colagem
- brincadeira
- finger
- barbante

LINGUAGEM ORAL
- livros
- parlendas
- fotos
- frisas
- vídeos e slides
- histórias
- conversas informais
- dramatização

HABILIDADES PERCEPTIVAS-MOTORAS (HPM)

HIGIENE
- partes do corpo
- localização
- nomeação
- imitação
- dramatização

ORIENTAÇÃO ESPACIAL
- espaço
- posições
- trem

PERCEPÇÕES

RITMO
- cantiga
- instrumentos
- roda

COORDENAÇÃO MOTORA

VISO-MOTORA
- quebra-cabeça
- material, prateleira
- labirinto
- trabalho pessoal

GERAL
- educação física
- percurso, jogos
- andar, correr
- pular, rastejar
- engatinhar

MANUAL
- massinha, argila
- colagem, desenho
- manuseio
- terra, frutas, sementes
- bola

GUSTATIVA
- alimentos

TÁTIL
- alimentos
- consistência
- temperatura
- peso
- textura

VISUAL
- cores
- tamanho
- tapete mágico
- mágica

OLFATIVA
- alimentos

AUDITIVA
- música
- brincadeiras
- sons

As redes coletivas

A proposta de trabalho coletivo, desenvolvido com os professores do projeto de intervenção, baseou-se na preocupação de compartilhar vivências e conhecimentos no/com/para o grupo. À medida que os avanços individuais dos professores foram sendo notados, a opção pela forma de elaboração de painéis coletivos veio ao encontro da preocupação de que construções individuais fossem socializadas, a fim de que todos participassem do pensamento de cada um: cultura de grupo, rede de conhecimentos, teia de saberes... aprendizagens ressignificadas a partir da contribuição de uns para os outros.

Outra consideração favorável ao trabalho em/com redes é a possibilidade de conexão com os bastidores do ser humano, observar as pessoas, como agem, como tecem suas escolhas, o jeito como se organizam, argumentam, escutam, se colocam diante do outro, o silêncio momentâneo, o olhar distante e reflexivo, a feição fechada da desconfiança resistente, a liderança emergente e validada pelo grupo, as perguntas espontâneas que refletem curiosidades...

A observação de falas, silêncios, e atitudes do grupo oferecem ao coordenador pistas importantes de como os sujeitos-educadores pensam, agem, projetam fazeres-saberes pessoais e pedagógicos no exercício do ofício de ser "professor da infância".

A "re-união" de palavras, que estão por toda parte, vislumbra uma postura docente que, devidamente identificada pelo coordenador do grupo, oferece um caminho significativo para encaminhamentos, intervenções e propostas, de fato, "transformadoras": o embrião de mudanças.

O registro, a reflexão, a avaliação diagnóstica de cada uma delas e sua conexão com o contexto de trabalho são "pistas" para a escrita do planejamento da formação: as vozes que se unem e se sentem pertencentes ao projeto pedagógico como um todo.

O ponto de partida foi a leitura e discussão, em uma reunião de professores, sobre "O que é criar?", "O que caracteriza o processo de criação?", "Qual o percurso de criação individual?". Como texto de apoio, trabalhei *Criatividade e processos de criação*, de Fayga Ostrower, e um texto que escrevi sobre a palestra de Anna Marie Holm, cujo tema era Arte para bebês (*Baby-Art*), quando esteve no Brasil em 2007 para lançar, no Museu de Arte Moderna de São Paulo (MAM), seu livro homônimo. O objetivo era explorar características genuínas do processo de criação, com as variáveis da especificidade de cada uma das faixas etárias (adultos e crianças).

Algumas ideias centrais, que foram norteadoras do projeto de formação, estão sintetizadas a seguir:

- Arte é um encontro: um momento mágico em que o sujeito aprende com o outro; um encontro é o equilíbrio entre Arte e Estética!

- Há duas formas de pensar, que podem ser excludentes ou interdependentes: no objeto em si ou no contexto – tudo o que está ao redor do objeto, contextualizando-o.

- Eu + Você + o Entorno: no relacionamento interativo, o processo artístico se constitui ➡ surgem formas, cores, linhas, esboços; o foco não é o momento, mas o caminhar do processo de exploração do objeto.

- Arte e/é linguagem: um diálogo contextualizado.
- Arte é a experiência do sujeito sobre os objetos a partir das sensações/percepções do próprio corpo.
- Arte é a experiência de vivenciar tudo ➡ forma para se expressar e comunicar pensamentos.
- O coordenador do grupo deve observar, registrar, planejar o ambiente, avaliar as etapas do processo para preparar o espaço de acordo com interesses e necessidades do grupo.
- Tempo e Espaço são elementos constituintes da construção do conhecimento, que marcam a identidade do grupo.
- A experiência artística para a criança é PERCEBER e ESCOLHER os caminhos para realizar uma atividade; para o adulto é organizar o ambiente, escolher o local e observar o que a criança/bebê faz... ser capaz de seguir o seu processo de criação!

Após muita discussão em torno das ideias centrais dos textos e suas possíveis articulações com a prática pedagógica dos professores, pedi às professoras que começassem a vivenciar o processo teórico por meio da manipulação de diferentes materiais dispostos no chão: canetas coloridas para desenhar em acetato, tinta guache e pincéis variados, argila, painéis de papel *Kraft* dispostos no chão e na parede...

Explorar sensorialmente o material, além de descontrair as professoras, "convidou-as" a, literalmente, pôr "as mãos na massa" e vivenciar o processo de criação da mesma forma que as crianças: através dos sentidos e do próprio corpo. A arte cumpriu o papel de organizar e comunicar ideias, abrir espaço para a expressão de sentimentos e diferentes pontos de vista: criação de repertório comum ao grupo.

Aos poucos, na reunião seguinte, as imagens foram sendo ampliadas com palavras, estabelecendo-se uma relação de proximidade de sentidos entre os diferentes símbolos e seus significados pessoais e culturais, ampliando o repertório das educadoras. Nesse momento, as professoras foram convidadas a escrever as palavras-chave sobre o trabalho realizado e desafiadas a completá-las com alguma caracterização, ou explicação do conceito, construindo um mapa conceitual sobre os saberes do grupo explicitados a partir da ação estética:

INTENÇÃO

PERCEBER
- Distinta da sensação.
- Processo construtivo.
- Organizando e captando conjuntos ou produzindo, buscando sentidos.

SOBREVIVER

CONHECIMENTO

CULTURA

IMAGEM
- Figura ou representação.
- Imitação da realidade.
- O imaginado.
- Reflexo.
- Sombra.

COMUNICAÇÃO
- Transmissão e recepção de mensagem entre emissor e receptor.
- Transmissão de significação em vários níveis.

REPRESENTAÇÃO
- Artifício para acessar conteúdo concreto de pensamento.
- Signos revelam ou representam coisas ser as coisas de fato.
- Causar o conhecimento ao ser apresentado.
- Ser a imagem ou a reprodução de uma imagem.

EXPRESSÃO
- Relação de tensão (interno/externo).

INTERPRETAÇÃO
- Processo criativo.
- A mensagem só se completa com a interpretação.
- Desenvolvimento e realização efetiva da compreensão.

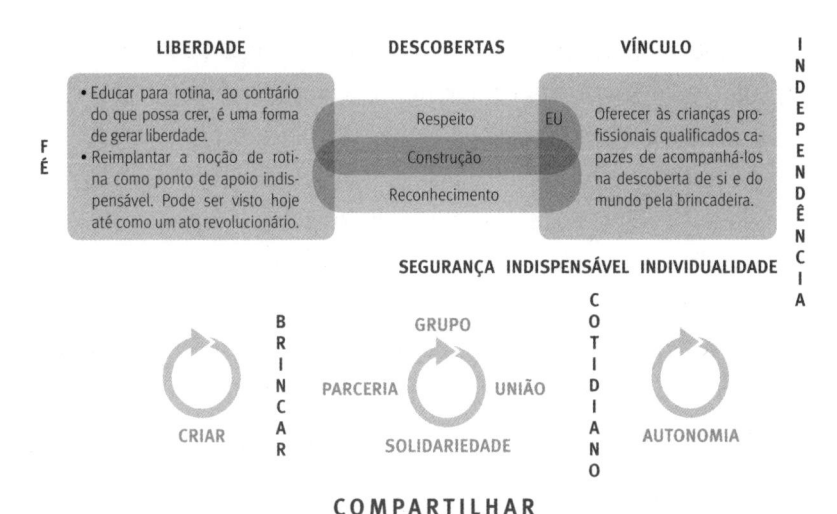

```
         LIBERDADE              DESCOBERTAS           VÍNCULO            I
                                                                         N
   • Educar para rotina, ao contrário                                    D
     do que possa crer, é uma forma    Respeito               Oferecer às crianças pro-   E
     de gerar liberdade.                              EU      fissionais qualificados ca- P
 F • Reimplantar a noção de roti-      Construção             pazes de acompanhá-los      E
 É   na como ponto de apoio indis-                            na descoberta de si e do    N
     pensável. Pode ser visto hoje     Reconhecimento         mundo pela brincadeira.     D
     até como um ato revolucionário.                                                      Ê
                                                                                          N
                              SEGURANÇA INDISPENSÁVEL INDIVIDUALIDADE                     C
                                           C                                              I
                       B          GRUPO    O                                              A
                       R                   T
                       I                   I
                       N   PARCERIA  UNIÃO D
                       C                   I
        CRIAR          A                   A      AUTONOMIA
                       R   SOLIDARIEDADE   N
                                           O
                           COMPARTILHAR
```

Solicitei, em seguida, que registrassem em seus cadernos a rede elaborada pelo grupo, que pesquisassem os termos conceituais utilizados e escrevessem em tiras de papel uma reflexão sobre alguns deles.

A montagem da rede do grupo seguiu um percurso muito interessante: o encontro foi marcado por uma intensa discussão, argumentação embasada em pesquisas pessoais, em busca de palavras que articulassem pontos de vista diversificados e fundamentassem um consenso do grupo, por meio de muita negociação.

O painel construído pelo grupo ficou exposto na sala dos professores durante todo o semestre para que a reflexão se aprofundasse nos encontros posteriores. O envolvimento com a proposta foi intenso e uma das professoras trouxe uma imagem para complementar a rede de palavras: a escultura "vínculos afetivos" (autor desconhecido) foi posta ao lado do painel com os bordados sobre "projetos" e da rede de palavras... um convite a "dialogar", refletir e relacionar... formas de pensar e agir em interação uns com os outros: ciranda formativa!

Todas as intervenções planejadas para o processo de formação dos professores articularam os movimentos individuais com os coletivos, conforme os objetivos propostos. A cada nova tarefa para trabalho em rede havia a demanda de uma reflexão individual, para que cada sujeito-professor se apropriasse dos conteúdos trabalhados a seu modo, no seu ritmo e de acordo com as suas estruturas internas e possibilidades de significação dos conteúdos abordados em atividades diferenciadas com as crianças.

No fim da discussão sobre o processo de criação, solicitei uma avaliação verbal do trabalho realizado, com o levantamento de ganhos e aprendizagens, que se encontram a seguir, na voz das professoras participantes:

- O trabalho sobre "processo de criação" e dos projetos realizados em cada grupo.
- Trabalho em equipe: trocas e parcerias.
- Grande motivação de todos.
- O vínculo construído propiciou um ambiente acolhedor, agradável e aconchegante, que faz toda a diferença para trabalhar.
- O trabalho incentivou a ação com as crianças, que se interessaram pelas propostas e gerou resultados positivos.
- Grande disponibilidade dos pais, que se contagiaram com o interesse das crianças pelo trabalho com Arte.

- A interatividade com os trabalhos expostos fez grande diferença na produção final.

- Gerou a criação de um vínculo entre escola e família, entre os professores da escola e o próprio grupo, além de incluir a comunidade no processo educativo.

- Oportunidade de trocas com os colegas.

- Prazer e alegria.

- Sucesso.

- Fortalecimento da coletividade: união.

- Comprometimento e consistência.

- Identificação das crianças com o trabalho.

As produções artísticas, aliadas às palavras-chave escolhidas pelas professoras, serviram como elemento gerador de reflexões posteriores. Ambas se mostraram eficazes e produtivas como instrumentos de expressão e comunicação, não só para as professoras, mas também para as crianças, que "falam" por meio de brincadeiras, teatro, pinturas, instalações, jogo simbólico, música, artes visuais e palavras... símbolos da leitura de mundo feitos pelos sujeitos.

Em um mundo imagético, que caracteriza a contemporaneidade, trabalhar imagens e palavras, em síntese, possibilita a integração da ação, da emoção e do pensamento dos seus protagonistas, adultos e crianças, transformando-se em aprendizagens significativas: "experiências" e memórias vivenciadas em toda a dimensão da inteireza humana.

PROJETOS, PORTFÓLIOS E REDES NA FORMAÇÃO DOS PROFESSORES

> *Sabemos também que mais importante do que formar é formar-se; que todo o conhecimento é autoconhecimento e que toda a formação é autoformação. Por isso, a prática pedagógica inclui o indivíduo, com suas singularidades e afetos.*
>
> António Nóvoa

O trabalho com redes, projetos e registros em portfólios reapresentou a importância da metodologia na formação dos professores que, ao se apropriarem desses instrumentos e/ou dessas ferramentas, qualificaram-se profissionalmente e fortaleceram o grupo como um todo.

O avanço qualitativo da formação se dá, portanto, em um movimento de conexão de saberes e fazeres pedagógicos, por meio da relação que o sujeito estabelece entre a compreensão do que faz, a verbalização justificada dos saberes e a vivência significativa de práticas que tenham a intenção explícita e consciente de provocar novas aprendizagens nas crianças.

O esquema a seguir apresenta uma síntese dos eixos essenciais à compreensão da ação pedagógica intencional:

```
        PARA QUÊ?      POR QUÊ?
        (finalidade)   (justificativa)
ONDE?                                  O QUÊ?
(espaços)                              (conteúdos)
              INTENCIONALIDADE
                  DA AÇÃO
COMO?                                  QUANDO?
(dinâmica)                             (campo)
        COM QUÊ?       COM QUEM?
        (materiais)    (sujeitos envolvidos)
```

A opção metodológica aponta para o valor do rigor disciplinado da ação docente e o compromisso ético e estético com a aprendizagem pessoal e das crianças: "aprender a aprender a ensinar" na Educação Infantil. A escola, vista como espaço de encontros e trocas cognitivas e afetivas, pode possibilitar o reconhecimento de seus sujeitos e a participação ativa do grupo na construção do conhecimento de cada um: marcas de identidade e aprendizagens significativas.

O que move o sujeito-educador?

A metodologia trabalhada apontou para a articulação entre o que o professor faz, o que pensa fazer, o que sabe, o que pensa saber, o que gostaria de saber e o que falta... "forças motrizes" da ação docente. Há uma interdependência entre esses aspectos na construção da ação docente, que são seus referenciais e que, se forem devidamente problematizados pelo coordenador e pelos demais membros do grupo, podem ser altamente transformadores da prática pedagógica.

O sujeito-educador, visto na integralidade do humano, move-se baseado na forma como pensa e concebe o mundo que o cerca, pautado em emoções, percepções corporais e sensoriais, que referendam ações práticas, fazeres e saberes da docência. As matrizes individuais, os "nichos" de identidade de cada um, como nas palavras de Furlanetto (2003), ao encontrarem "ecos" na cultura do grupo de trabalho, referendam a ação coletiva e individual, o sentido de "ser professor" da infância, com todo o encantamento do "brilho nos olhos" da constância dos "porquês" da criança na Educação Infantil.

O produto/resultado da reflexão sobre o processo de formação é a síntese abaixo, que elenca fazeres ⇔ saberes essenciais à docência, que constituem o "currículo em ação" para a (trans)formação de professores de Educação Infantil:

1. O trabalho coletivo: a construção do grupo, o fortalecimento do sentimento de pertencimento ("pertença") e dos vínculos afetivos e cognitivos.

2. A autoria e a autonomia do professor como elementos de transformação da prática pedagógica.

3. A socialização das práticas pedagógicas na "voz" do autor: reconhecimento e validação do trabalho.

4. As trocas interativas como fortalecimento de vínculos do grupo e ampliação de repertórios individuais.

5. O uso dos instrumentos metodológicos: observação, registro, planejamento, avaliação e reflexão.

6. O questionamento pessoal e do outro como elemento de transformação – relação teoria prática: ação ➡ reflexão ➡ ação intencional (práxis).

7. A visão dialética e sistêmica da relação pedagógica: a lógica da inclusão (isto "E" aquilo).

8. O trabalho com projetos: a construção do conceito e da postura metodológica.

9. Os portfólios como fonte de documentação, memória, reflexão, registro, coautoria e coprodução do grupo, além de matéria-prima para a formação em serviço.

10. As redes como espaço coletivo de síntese, registro e socialização de saberes.

11. O papel formador da Arte no conhecimento de si, do outro e da cultura.

12. A interdependência entre fazeres ⬌ saberes: a construção do currículo em ação.

Reflexões finais

> Cada um de nós, professores, colabora com um pequeno espaço, uma pedra, na construção dinâmica do "mosaico" sensorial-intelectual-emocional de cada aluno. Ele vai organizando continuamente seu quadro referencial de valores, ideias e atitudes

> *a partir de alguns eixos fundamentais comuns à liberdade, à cooperação, à integração pessoal.*
>
> José Manuel Moran

Quem conta um conto, ou registra uma experiência, constrói um ponto de partida para a documentação de outras histórias pedagógicas pessoais e para seu grupo de trabalho.

A relevância da qualificação profissional de docentes da primeira infância, considerando pressupostos teóricos da filosofia do Piaget e a premissa central de Wallon sobre a importância do outro na constituição do sujeito, foi comprovada pelos relatos de experiências desenvolvidas ao longo de anos com professores em serviço.

Compreender como a criança aprende, vivenciar experiências relacionadas às múltiplas linguagens expressivas e ao uso de instrumentos metodológicos, definir possibilidades de metodologias que contemplassem os interesses da faixa etária e, a meu ver, o maior de todos, fortalecer uma cultura coletiva, que consolidasse a importância de cada um no grupo, a partir de um referencial em comum, traçando referenciais de identidade da Educação Infantil/Primeira Infância.

A formação dos educadores da infância, vista como um espaço de trocas entre sujeitos que se mobilizam para articular objetivos propostos no projeto pedagógico institucional, com os desejos e as faltas das crianças é o motor desta formação. Formar(se), transformar(se), ampliar repertórios de atuação, socializar descobertas pessoais, ter contato com a prática dos profissionais parceiros, registrar experiências realizadas, fortalecer a cultura de grupo "aprendente/ensinante" e de uma rede de parcerias de trabalho foram algumas das conquistas desta experiência para todos os sujeitos que dela participaram, direta ou indiretamente.

A interação das singularidades das vozes dos educadores viabilizou a consolidação de uma cultura de coletividade, na qual o diálogo estabelecido deu visibilidade aos indivíduos em suas diferenças, em sintonia com a proposta metodológica do grupo de Educação Infantil, no qual a diversidade é um valor promotor de aprendizagens.

A metodologia utilizada no processo de formação de educadores e das crianças – o trabalho com projetos e os registros em portfólios e redes – que reapresentam palavras-chave e imagens significativas para o professor, configuram uma possibilidade eficaz à construção de um currículo em ação para a formação de professores em serviço, pautada na ação/reflexão/uma nova ação intencionalmente planejada.

À medida que a proposta vai sendo apropriada pelo grupo de professores, o trabalho com projetos e registros em redes e portfólios vai ampliando o repertório de atuação dos docentes, despertando um interesse cada vez maior nas crianças pelas propostas de trabalho e envolvendo todos os participantes: professores, coordenação, crianças e suas famílias... um currículo vivo, capaz de "fazer brilhar" os olhos de seus autores diante da criação de seus projetos pessoais e de trabalho: "feito por... NÓS", superando "nós"/conflitos inerentes à construção do conhecimento e à vida em grupo.

A metodologia de projetos, registros em redes e portfólios propicia a apropriação de fazeres e saberes das práticas pedagógicas dos professores que, ao se conscientizarem de seus atos, de suas crenças e de seus valores têm a clareza do que mobiliza as escolhas feitas na organização do seu cotidiano. A intencionalidade da ação docente fortalece a postura do educador diante dos princípios da docência, ampliando a metodologia para uma postura profissional do grupo.

Mas o que me move? O que move os demais educadores? A pergunta central aponta para a importância da tomada de consciência da relação entre questões motivadoras do sujeito-educador, a observação dos interesses e desejos do grupo de crianças com o qual trabalha, as necessidades da faixa etária e a satisfação decorrente da autoria de um projeto de trabalho. O que mobiliza o sujeito, independentemente do lugar que ele ocupa na relação pedagógica, é a possibilidade de perceber-se como parte integrante do processo de construção de conhecimento, de apropriação de saberes e fazeres da cultura a que ele pertence. Um sujeito com uma autoestima fortalecida ao vivenciar a autoria do processo, em parceria com um grupo de referência, com quem tenha um repertório em comum: "o brilho nos olhos" de quem é validado a apresentar algo feito com sentido para o sujeito que, de fato, "põe a mão na massa" no dia a dia da sala de aula e promove aprendizagens consistentes para todos os envolvidos, afetando-se com as conquistas alcançadas e desafios superados.

A socialização articulada de fazeres pedagógicos dos integrantes do grupo, articulados a saberes que justificam e referendam essas práticas, viabiliza o fortalecimento e a apropriação, individual e coletiva, da intencionalidade da ação docente, ampliando as conquistas de todos ao mesmo tempo em que consolida a rede de educadores da infância.

A construção de novos conhecimentos se dá no grupo, com o grupo, pelo grupo, para o grupo e, principalmente, para o próprio sujeito-educador, o que comprova a máxima walloniana de que o ser humano é, geneticamente, social e constitui-se a partir do outro, em sucessivas trocas interativas. Interagir, trocar, expor, dialogar, compartilhar, planejar, observar, agir, escutar, registrar, refletir e avaliar são, de fato, objetivos que norteiam a transformação da ação pedagógica de quem ensina enquanto aprende, e vice-versa, como nas palavras de Paulo Freire.

A ação do educador comprometido com a aprendizagem pessoal e dos indivíduos com quem convive mobiliza o grupo como um todo a vencer desafios, a buscar respostas às situações-problema do dia a dia, a compartilhar conquistas, contradições e conflitos, a ter objetivos em comum, a cooperar a favor do bem-estar coletivo, enfim, a viver a vida de grupo com toda a sua intensidade, afetiva, emocional e cognitiva, como apontam os relatos das professoras.

Além do compromisso e do desejo de novas aprendizagens, a curiosidade, como a da personagem Alice, de Lewis Carroll, também é um motor para a formação, pois o interesse pela pesquisa sobre a própria prática tornou-se um diferencial no currículo que foi construído a partir da ação de seus integrantes. A paixão pela Educação Infantil e pela competência profissional também motivam a busca de potenciais metodologias para compor um currículo de formação de professores que, realmente, atenda às características da criança de zero a cinco anos de idade (objetivo final da formação) que, avidamente, quer conhecer o mundo que a cerca.

O trabalho com projetos, um "vir a ser" diário, vai ao encontro da concepção de professor que planeja o seu fazer, que registra suas ações para refletir e documentar o seu percurso, que observa o seu entorno como matéria-prima do processo pedagógico e avalia cada passo realizado para propor novas intervenções; portanto, usa instrumentos metodológicos como ferramentas fundamentais à qualificação da docência.

A riqueza das interações e dos vínculos afetivos consolidados no exercício da docência aponta para uma variedade de possibilidades formativas, não só por meio das múltiplas linguagens expressivas utilizadas como percurso formativo, mas também pelo espaço de diálogo, de escuta e fala que os professores tanto necessitam para lidar com seus conflitos pessoais, incertezas e conquistas. De acordo com o poema "Infância", de Drummond (2005): "E eu não sabia que minha história era mais bonita que a de Robinson Crusoé"!

(Trans)formar(-se) no convívio-parceiro com o outro, adultos compartilhantes do ambiente escolar e crianças do grupo de trabalho, requer tempo de apropriação das experiências vivenciadas, espaço para acolhimento e identificação com a proposta feita pela coordenação pedagógica, além de práticas de rotinas estruturantes que validem a sintonia entre o que se pensa e o que se faz no cotidiano da escola, *lócus* genuíno de formação de professores.

A formação de professores de Educação Infantil é uma meta desafiadora para os que se prontificam a trabalhar nessa área. Como o processo pedagógico é fruto de uma relação interativa, ao mesmo tempo em que o formador propõe metodologias (que ampliem repertórios de fazeres docentes, evoquem a discussão de saberes dos teóricos e dos professores e os pautam em confronto com os pensamentos/ideias dos demais), ele lida com saberes e fazeres pessoais, experiências significativas vivenciadas em sua trajetória e conflitos decorrentes da falta de algumas respostas às questões que desconhece.

Nesse movimento, constrói-se uma comunidade aprendente e ensinante, forma-se e transforma-se um ciclo interativo, que gesta novas aprendizagens e consolida matrizes de atuação do sujeito-educador; e no pulsar do próprio fazer, tece o saber pessoal, que alimenta a prática, entrelaçando os fios da "cadeia pedagógica", que se realimenta a cada nova experiência significativa, firmando pontos, tecendo nós de sustenção e nós coletivos da rede educacional. Formar e transformar: verbos da ação pedagógica, que interagem e propiciam os múltiplos sentidos do aprender a ensinar... a ressignificação dos objetos culturais e da própria vida de professor da infância!

O que é ser professor da infância? Um sujeito capaz de ensinar e aprender a encantar-se com o "curiosismo" infantil que o move, em busca de novos caminhos promotores de aprendizagens significativas para si mesmo e para a criança, com a paixão de quem se maravilha com as descobertas transformadoras da docência. É nesse sentido que este livro considera o exercício da docência como um país semelhante ao que abrigou Alice em suas aventuras: com conflitos, como os desmandos da Rainha de Copas, mas com as belezas das descobertas de si e dos outros. Sou professora por opção, me fiz professora ao longo de minha vida, com desejo de acertar e buscar a competência para qualificar o sentido da docência... Com certeza, as crianças agradecem!

Termino o texto com as palavras de uma das professoras que participou do projeto de formação:

> [...] é assim, portanto, que entendo uma participação ativa: uma forma de realizar, de transformar, de mobilizar, de criar, abraçar causas, atuar com responsabilidade, recorrer com humildade, 'socorrer' com o coração, decidir com razão, viver em comunhão, existir nessa imensidão.

A professora ilustrou o texto com uma imagem de roda: uma grande ciranda formada por crianças de alguma escola deste imenso país chamado Brasil.

Referências bibliográficas

ALARCÃO, Isabel. *Formação reflexiva de professores:* estratégias de supervisão. Porto: Porto Editora, 1996.

————. *Professores reflexivos em uma escola reflexiva*. São Paulo: Cortez, 2003.

ALMEIDA, Laurinda; MAHONEY, Abigail. *Afetividade e aprendizagem:* contribuições de Henri Wallon. São Paulo: Loyola, 2000.

ANDRÉ, Marli Eliza. *Etnografia da prática escolar.* 3ª ed. Campinas, SP: Papirus, 1995.

_____ (org.). *O papel da pesquisa na formação e na prática dos professores*. Campinas: Papirus, 2001.

BACHELARD, Gaston. *O direito de sonhar.* São Paulo: Difel, 1986.

BARBIER, René. *A pesquisa-ação*. Brasília: Liber Livro, 2004.

BARBOSA, Maria Carmen Silveira. *Por amor e por força:* rotinas na Educação Infantil. Porto Alegre: Artmed, 2006.

_____; HORN, Maria da Graça Souza. *Projetos pedagógicos na educação infantil*. Porto Alegre: Artmed, 2008.

BARROS, Gilda Naécia Maciel de. *Sócrates – raízes gnosiológicas do problema do ensino*. São Paulo: Faculdade de Educação da Universidade de São Paulo, 2000. (Texto da conferência proferida na Escola de Aplicação para os alunos da pós-graduação.)

BION, W. R. *Experiências em grupos*. Buenos Aires: Paidós, 1994.

BRANDÃO, Carlos Rodrigues (org.). *O educador:* vida e morte. Porto Alegre: Graal, 1982.

BRASIL. Ministério da Educação. *Base Nacional Comum Curricular (BNCC)*. Disponível em: <http://basenacionalcomum.mec.org.br>. Acesso em ago. 2018.

_____. Ministério da Educação e do Desporto. Secretaria de Educação Fundamental. *Referencial Curricular Nacional para a Educação Infantil (RCNEI)*. Brasília: MEC/SEF, 1998.

BRONFENBRENNER, Urie. *A ecologia do desenvolvimento humano:* experimentos naturais e planejados. Porto Alegre: Artmed, 1996.

BUBER, Martin. *Eu e tu.* São Paulo: Moraes,1974.

BUENO, Francisco da Silveira. *Grande dicionário etimológico prosódico da Língua Portuguesa.* São Paulo: Saraiva, 1965.

CARROLL, Lewis. *Alice no País das Maravilhas.* Tradução de Monteiro Lobato. São Paulo: Companhia Editora Nacional, 2005.

CHAUI, Marilena. *Introdução à história da filosofia:* dos pré-socráticos a Aristóteles. 2ª ed. São Paulo: Companhia das Letras, 2002.

COLE, Donna J. et al. *Portfolios across the curriculum and beyond.* Califórnia: Corwin Press, 1995.

COLL, César. *Psicologia e currículo.* São Paulo: Ática, 1996.

_____ et al. *O construtivismo na sala de aula.* São Paulo: Ática, 1996.

_____ et al. *Os conteúdos na reforma.* Porto Alegre: Artes Médicas, 1998.

CRITELLI, Dulce. *Analítica do sentido:* uma interpretação de orientação fenomenológica. São Paulo: EDUC/Brasiliense, 1996.

DANTAS, Heloysa. *A infância da razão:* uma introdução à psicologia da inteligência de Henri Wallon. São Paulo: Manole, 1990.

DELORS, Jacques. *Educação:* um tesouro a descobrir. 2ª ed. São Paulo: Cortez; Brasília: Unesco, 1999.

DIAS, Marina Célia Moraes; NICOLAU, Marieta Lúcia Machado (org.). *Oficinas de sonho e realidade na formação do educador da infância.* Campinas: Papirus, 2003.

DRUMMOND, Carlos. *Antologia poética.* Rio de Janeiro: Record, 2005.

FAZENDA, Ivani Catarina A. (org.). *Interdisciplinaridade:* qual o sentido? São Paulo: Paulus, 2008.

_____. *A pesquisa em educação e as transformações do conhecimento.* 7ª ed. Campinas: Papirus, 2005.

_____. *Interdisciplinaridade-Transdisciplinaridade:* visões culturais e epistemológicas e as condições de produção num processo de mundialização. Apresentado no XIV Encontro Nacional de Didática e Prática de Ensino – ENDIPE, Simpósio 46, Porto Alegre, 2008.

_____ et al. *Os lugares do sujeito na pesquisa educacional.* Campo Grande: UFMS, 2001.

FELDMANN, Marina Graziela (org.). *Educação e mídias interativas:* formando professores. São Paulo: EDUC, 2005.

FORMOSINHO, Júlia; KISHIMOTO, Tizuko (org.). *Formação em contexto:* uma estratégia de integração. São Paulo: Pioneira, 2002.

____ et al. (org.). *Pedagogia(s) da infância.* Porto Alegre: Artmed, 2007.

FREIRE, Madalena. *Observação, registro, reflexão:* instrumentos metodológicos I. São Paulo: Espaço Pedagógico, 1995.

____ (org.). *Avaliação e planejamento:* a prática educativa em questão. São Paulo: Espaço Pedagógico, 1997.

____. *Educador educa a dor.* São Paulo: Paz e Terra, 2008.

____. *O que é um grupo?* In: FREIRE, Madalena et al. (org.). *Grupo – indivíduo, saber e parceria:* malhas do conhecimento. São Paulo: Espaço Pedagógico, 2002.

FREIRE, Paulo. *Pedagogia da autonomia:* saberes necessários à prática educativa. 9ª ed. Rio de Janeiro: Paz e Terra, 1996.

____; SHOR, Ira. *Medo e ousadia:* o cotidiano do professor. Rio de Janeiro: Paz e Terra, 1986.

FRIEDMANN, Adriana. *O universo simbólico da criança.* Rio de Janeiro: Vozes, 2005.

FURLANETTO, Ecleide Cunico. *Como nasce um professor?.* São Paulo: Paulus, 2003.

GALVÃO, Izabel. *Henri Wallon:* uma concepção dialética do desenvolvimento infantil. Petrópolis: Vozes, 1995.

GARCÍA, Carlos Marcelo. *Formação de professores:* para uma mudança educativa. Porto: Porto Editora, 1999.

GARDNER, Howard. *Inteligências múltiplas:* a teoria na prática. Porto Alegre: Artmed, 1995.

GARRIDO, Elsa. *O coordenador pedagógico e a formação docente.* São Paulo: Loyola, 2000.

GASPARIN, João Luiz. *Comênio:* a emergência da modernidade na educação. 2ª ed. Petrópolis: Vozes, 1997.

HADDAD, Lenira. *A ecologia do atendimento infantil.* (Tese de doutorado) Faculdade de Educação da Universidade de São Paulo, São Paulo, 1999.

HAGUETTE, Tereza Maria Frota. *Metodologias qualitativas na sociologia.* Petrópolis: Vozes, 1999.

HÉBER-SUFFRIN, Pierre. *O "Zaratustra" de Nietzsche*. Rio de Janeiro: Jorge Zahar, 1991.

HERNÁNDEZ, Fernando. *Transgressão e mudança na educação*. Porto Alegre: Artmed, 1998.

HOLM, Anna Marie. *Baby-Art:* os primeiros passos com a arte. São Paulo: MAM, 2007.

_____. *Fazer e pensar arte*. São Paulo: MAC-USP, 2005.

HOYUELOS, Alfredo. *La ética en el pensamiento y obra pedagógica de Loris Malaguzzi*. Barcelona: Octaedro, 2004.

_____. *La estética en el pensamiento y obra pedagógica de Loris Malaguzzi*. Barcelona: Octaedro, 2006.

JUNG, Carl Gustav. *Memórias, sonhos, reflexões*. Rio de Janeiro: Nova Fronteira, 1963.

LARROSA, Jorge. *Pedagogia profana*. 2ª ed. Belo Horizonte: Autêntica, 1999.

LÜDKE, Menga; ANDRÉ, Marli. *Pesquisa em educação:* abordagens qualitativas. São Paulo: EPU, 1986.

MACEDO, Lino de (org.). *Jogos, psicologia e educação*. São Paulo: Casa do Psicólogo, 2009.

MARTINS, Mirian Celeste. *Arte: o seu encantamento e o seu trabalho na educação de educadores* – a celebração de metamorfoses da cigarra e da formiga. (Tese de doutorado) Faculdade de Educação da Universidade de São Paulo, São Paulo, 1999.

MANTOVANNI, Susanna; BONDIOLLI, Ana. *Manual de educação infantil de zero a três anos*. Porto Alegre: Artes Médicas, 1998.

_____. Sobre observação. In: WEFFORT, Madalena Freire (org.). *Observação, registro, reflexão*. São Paulo: Espaço Pedagógico, 1995.

_____; PICOSQUE, Gisa; GUERRA, M. Terezinha Telles. *Didática do ensino de arte*. A língua do mundo. Poetizar, fruir e conhecer arte. São Paulo: FTD, 1998.

MORIN, Edgar. *A cabeça bem-feita*. Rio de Janeiro: Bertrand Brasil, 2000a.

_____. *Complexidade e transdisciplinaridade:* a reforma da universidade e do ensino fundamental. Natal: Editora da UFRN, 2000b.

_____. *Os sete saberes necessários à educação do futuro*. São Paulo: Cortez; Brasília: Unesco, 2002.

_____ et al. *Diálogo sobre o conhecimento*. São Paulo: Cortez, 2004.

MOSS, Peter et al. *Qualidade na educação da primeira infância:* perspectivas pós-modernas. Porto Alegre: Artmed, 2003.

MUNDURUKU, Daniel. *Histórias de índio*. São Paulo: Companhia das Letrinhas, 1996.

NÓVOA, António. *Vidas de professores*. 2ª ed. Porto: Porto Editora, 1992.

_____. *Profissão professor.* 2ª ed. Porto: Porto Editora, 1995.

_____. *Formação de professores e trabalho pedagógico*. Lisboa: Educa, 2002.

NUNES, Jorge. Portfólio: uma nova forma de encarar a avaliação? *Revista Noesis*, Lisboa, n. 52, out. dez. 1999.

OLIVEIRA, Roberto Cardoso. O trabalho de antropólogo: olhar, ouvir, escrever. *Revista de Antropologia*, São Paulo, Universidade de São Paulo, v. 39, n. 1, 1996.

OSTROWER, Fayga. *Criatividade e processos de criação*. Rio de Janeiro: Vozes, 1987.

PERISSÉ, Gabriel. *A arte da palavra*. São Paulo: Manole, 2003.

PIAGET, Jean. *Epistemologia genética*. São Paulo: Martins Fontes, 1970.

_____. *Para onde vai a educação?* Rio de Janeiro: José Olympio, 1977.

_____. *Psicologia e epistemologia*. 2ª ed. São Paulo: Forense Universitária, 1978.

_____. *A tomada de consciência*. Porto Alegre: Artes Médicas, 1986. v. 1.

_____. *O possível e o necessário*. Porto Alegre: Artes Médicas, 1986. v. 2.

PICHON-RIVIÈRE, Enrique. *O processo grupal*. 5ª ed. São Paulo: Martins Fontes, 1994.

_____. *Teoria do vínculo*. São Paulo: Martins Fontes, 1995.

PIÑON, Nélida. *Aprendiz de Homero*. Rio de Janeiro: Record, 2008.

PRÉ, Marie. *Mandalas para criança:* uma nova ferramenta pedagógica. Cotia: Vergara & Riba, 2007.

QUINTANA, Mario. *Caderno H*. Rio de Janeiro: Globo, 2007.

RABITTI, Giordana. *À procura da dimensão perdida:* uma escola de infância de Reggio Emilia. Porto Alegre: Artmed, 1999.

RAPPAPORT, Clara Regina. *A idade pré-escolar.* São Paulo: EPU, 1981. v. 3.

RODARI, Gianni. *Gramática da fantasia.* São Paulo: Summus, 1982.

ROSSETTI-FERREIRA, Maria Clotilde Rossetti et al. (org.). *Rede de significações.* Porto Alegre: Artmed, 2004.

SACRISTÁN, J. Gimeno. *Poderes instáveis em educação.* Porto Alegre: Artmed, 1999.

_____. *O currículo:* uma reflexão sobre a prática. Porto Alegre: Artmed, 2000.

_____. *Educar e conviver na cultura global:* as exigências da cidadania. Porto Alegre: Artmed, 2002.

_____. *A educação que ainda é possível.* Porto Alegre: Artmed, 2007.

_____; GÓMEZ, A. Pérez. *Compreender e transformar o ensino.* 4ª ed. Porto Alegre: Artes Médicas, 1998.

SANTOMÉ, Jurjo Torres. *Globalização e interdisciplinaridade.* Porto Alegre: Artmed, 1998.

SCARPA, Regina. *Era assim, agora não.* São Paulo: Casa do Psicólogo, 1998.

SCHÖN, Donald A. *O professor reflexivo.* Porto Alegre: Artmed, 2001.

THIOLLENT, Michel. *Metodologia da pesquisa-ação.* 9ª ed. São Paulo: Cortez, 2000.

VILLAS BOAS, Benigna. *Portfólio, avaliação e trabalho.* Campinas: Papirus, 2004.

VYGOTSKY, Lev. *A formação social da mente.* São Paulo: Martins Fontes, 1989.

WALLON, Henri. *Do ato ao pensamento.* Lisboa: Portugalia, 1966.

_____. *As origens do pensamento na criança.* São Paulo: Manole, 1989.

ZABALZA, Miguel Ángel. *Diários de aula:* contributo para o estudo dos dilemas práticos dos professores. Porto: Porto Editora, 1994.

ZEICHNER, Kenneth. *A formação reflexiva de professores:* ideias e práticas. Lisboa: Educa, 1993.